JN114166

ふわっと速読で英語脳が目覚める!

最も効率がいい英語習得法

Max 二宮

青春出版社

はじめに

「英語をペラペラ話せるようになりたい！」
「ネイティブの速い英語を聞き取れるようになりたい」
「仕事で英語を使えるようになりたい！」
「海外旅行、洋画、海外ドラマ、英語ニュースをもっと楽しみたい！」
「TOEICの点数をもっと上げたい」
そのために何年も英会話教室に通っている、いろんな勉強法を試してきた、頑張ってきた。でも効果が出ない…。あなたも、そんな悩みを抱えているのではないでしょうか？

学校でも英語を勉強し、その後も努力を続けているのに、なぜ英語が話せないのか。それは決してあなたの頑張りが足りないわけではなく、既存の英語学習法に効果が出にくい盲点がいくつかあるからです。

そのひとつが、量・質ともに十分なインプット（「読む」「聞く」）ができていないことです。
最も科学的な英語習得法とされ、昨今注目されている「第二言語習得論」でも「大量のインプットと少量・適量のアウトプット」が大前提です。また、私たちが母国語を習得してきた過程でも、沢山の言葉や文に触れ、話せるようになった経緯があります。

しかし、文法や和訳を考えて英文を理解している場合、英語から直接ではなく「日本語を通じた理解」なので、大量に行っても効果的な英語のインプットとは言えません。

この問題を解決し、英語習得の効率を飛躍的に高める方法があります。**それが本書で紹介する「ふわっと速読」です。**

ふわっと速読で英語脳に変わる

「え、"ふわっと"って何?」

「なぜ速読?」

「速読って難しそう」

と思いましたか?

こういった疑問への回答は第1章以降に譲りますが、「ふわっと速読」があなたの英語力を伸ばす救世主だということは、間違いありません。

「ふわっと速読」は、ネイティブ並み(もしくは通常の2倍以上)の速さで英語が読めるようになる速読スキルです。

このスキルと科学的な英語習得法を組み合わせることにより、**英語習得に必要な「大量のインプット」の効率が飛躍的に高まります。**

また、「ふわっと速読」を実践することで、**日本語を介さずに意味のイメージがラクに湧くようになるので、リスニングやスピーキング(アウトプット)との相乗効果で、英会話を含む実用的な英語力を効果的に高めることができます。**

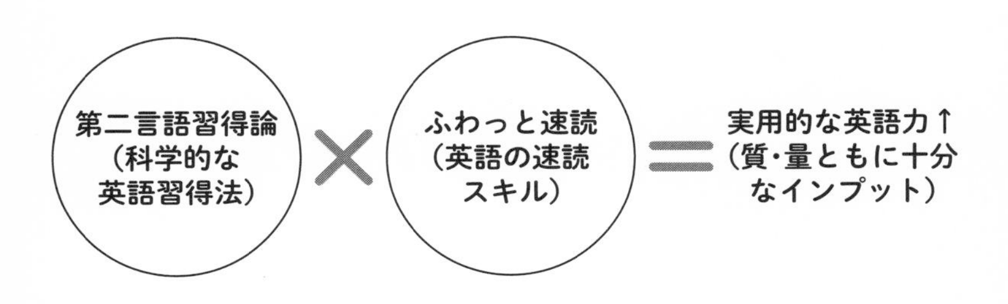

このメソッドの最大のポイントは、英語の速読を一生懸命ではなく、「ふわっと」行うこと。そうすることで目と脳の使い方が激変し、日本語ではなく「イメージ」を介して英語のインプットやアウトプットができるようになります。つまり**「英語脳」**になり、英語力全般がアップするのです。

NYで学んだ英語速読が「ふわっと速読」の原点

このメソッドは、そもそも私自身の経験から生まれました。

私が社会人になって企業派遣でアメリカに留学したときのこと。

英語の教科書や資料を読むのが遅く、予習に膨大な時間がかかって苦労しました。また、当時の私は、英文だけでなく日本語を読むのも遅かったため、帰国後も、毎夜の残業を強いられ、仕事の効率もよくないと感じていました。

そんな中で日本語の速読法を習った折に、英語の速読法があれば、「もっと速く仕事を処理できる」「もっと効率的に大量のインプットができ、英語力も高められる」とひらめいたのです。

そして、米国ニューヨークで、ネイティブにただ１人混じって、英語速読の講座を受講。その後、以前の私のように「英語を速く読めるようになりたい」「もっと英語力を高めたい」と思っている方々のお役に立ちたいと思い、日米の速読手法と私自身の経験や知見を組み合わせて、2014年、日本人に最適化した英語速読法「Max Reading（英語脳トレジム／英語速読）」を立ち上げました。

本書で紹介する「ふわっと速読」は、Max Readingの中で行っている速読法のうち、１人でできる初歩トレーニングをまとめ、ネイティブ並みの速さで英語が読めるようにしたものです。

本来の能力を引き出し、人生まで好転！

実際に私自身、英語速読の習得後は、英語での情報収集や資料の読破が非常にラクになりました。

さらに、**速読トレーニングで脳処理が速くなると、苦手だったリスニングもラクにできるようになり、インプットの効率も向上。スピーキングの話題や表現の幅が広がったこともわかりました。**

また、英語速読を教えていると、目や脳の使い方が変わることによって、英語だけでなく日本語を読むのも飛躍的に速くなったという受講生が続出したのです。

さらに、脳の使い方が変わることの効果でしょう。英語速読を始めて「ささいなことにこだわらなくなった」「前向きでいられるようになった」と、その効果が生き方やあり方にまで波及した受講生も少なくありません。

英語を勉強するというと、ほとんどの方が「一生懸命やらなくちゃ」「頑張らなくちゃ」と身構えて、肩に力が入ってしまいます。もしくは、英語というだけで、すぐに苦手意識を感じて緊張してしまう方も沢山います。

しかし「ふわっと速読」は、そんなガチガチや緊張から自分を解放し、ふわっとした気持ちで英語に向き合うことができる英語習得法です。しかも、新たなスキルを一から獲得するというより、**既にあなたの中にある人間本来の能力が開花されていく**、という類（たぐい）のものです。

したがって、車の運転やスポーツ、楽器の演奏などを習得するのと同じように、しかるべき練習を積み重ねていけば、個人差こそあれ、誰でもできるようになります。

本書でご紹介する英語例文の難易度は、中学英語レベルで統一。

英語が苦手な方にもわかりやすく説明していますので、英語初級者の方もご安心ください。

その一方で、英語速読やそれを活用した英語習得法自体は、中級者や上級者にも満足いただける奥深い内容で、各自の英語力に合わせて応用していただけます。

まずは、肩の力を抜いてリラックスしてください。

そして「勉強だ！」なんて身構えず、楽しみながら本書を読み進めていただけたら幸いです。

本書の4つの特長

1 最も効率がいい英語習得法 「第二言語習得論×速読(ふわっと速読)」の カラクリを大公開!

◎速読により、英語習得に不可欠な「大量のインプット」を効率化
◎速読により、意味のイメージがラクに湧く「良質なインプット」が可能
◎大量&良質なインプットが、アウトプットの「自動化」を促進

「ふわっと速読」で ネイティブ並みに速く読める⇒英語脳に!

2 自力で簡単にできる 「ふわっと速読」の トレーニング方法を徹底紹介

◎効果の出やすい自分に合った英語速読教材の選び方
◎WPM(1分間に読む単語数)の計測方法
◎「眼筋トレーニング」「呼吸法」「各種チャンキング」「パラパラ」などのトレーニングの意味と具体的な「やり方」
◎トレーニング効果が出やすくなる自分自身の「あり方」

丁寧な解説で、トレーニングを スムーズに続けられる!

英語初級者から上級者の方まで実践できるよう、以下の4つの内容をわかりやすく紹介しています。

「ふわっと速読×○○」で英会話力がアップする！具体的な方法を伝授

◎聞き読み with 速聴
◎なりきりオーバーラッピング
◎シャドーイング／リピーティング
◎ChatGPT（無料）の英会話への活用法

読むだけじゃない！
リスニング力・スピーキング力も劇的にアップ

「読むこと」がより効率的に楽しくなる方法を提案！

◎4つの読み方（精読、熟読、スキミング、スキャニング）の活用
◎仕事の文書、記事、実用書、物語、TOEICや共通テストなどの英語長文の読み方
◎ChatGPT（無料）の「読む」への活用法
◎多読への活用法

英語を「読む力」は、日本語速読、資格試験や勉強、
仕事、留学、人間力アップや人生への活用もできる！

『「ふわっと速読」で英語脳が目覚める!』 ―目次―

第2章
実践！「ふわっと速読」
目と脳の使い方を変え、読むスピードを上げる方法

第4章 もっと英語を読みたくなったあなたへ

仕事・学びの効率を上げ、英語力もアップする「4つの読み方」

第5章
ふわっと速読で人生が変わる!
仕事、学び、趣味…ポテンシャルを最大化できる

本文イラスト…金井淳
本文デザイン…青木佐和子
DTP…キャップス
編集協力…佐藤雅美・高比良育美

第 1 章

英語を話せるようになるカギは「ふわっと速読」にあった！

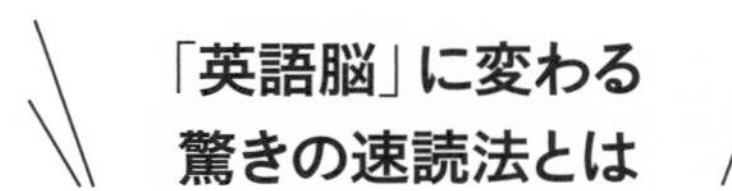
「英語脳」に変わる
驚きの速読法とは

英語を「日本語のように」理解できる脳に変わる

英語でスムーズに会話ができるようになるには、相手の話していることをパッと理解し、自分の言いたいことがパッと出てくるようになることが必要です。

しかし、日本語では自然にできていることが、英語となるとなかなかできません。その理由は何でしょうか？

「語彙力がないから」「文法力がないから」「英会話の練習が足りていないから」などと思う方が多いのではないかと思います。

もちろん、語彙力や文法、英会話の練習も大事です。

でも、多くの方が既に学校教育を何年も受けていますし、社会人になってからも語彙や文法を勉強したり、教室やオンラインで英会話を何年も続けていたりします。なのに、リスニングや英会話といった実用的な英語力があまり伸びていないという方が多いのです。

それはどうしてでしょうか？

その理由は、日本語と英語で違った「理解」の仕方をしているからです。

英語と日本語で理解の仕方が違う人が多い

英語となると、リスニングに自信がない人ほど、単語１つひとつをきっちり聞き取ろうとします。その時点で既に、ネイティブの話すスピードに追いつきにくくなります。

さらに脳内で和訳するクセのある方は、理解に時間がかかって脳処理も追いつかなくなり、途中から「あー、もうわからないー」と頭が真っ白になってしまうのです。

これは読むときも同じ。「この単語はこういう意味で…」と単語ごとにいちいち和訳し、「このフレーズはここにかかるから…」などと文法を考えて行きつ戻りつ読んでいくと、理解に時間がかかります。

日本人の場合、そうした聞くクセ・読むクセは、学校の英語の授業でついてしまうため、多くの人が持っていると言っていいでしょう。

そして、自分ではこれらのクセに気づいていない方が多いし、気づいていたとしても、その長年のクセからなかなか抜け出せません。

そうした日本人の多くが持っているクセを解消し、英語を日本語と同じようにパッと理解できるようにするのが「ふわっと速読」です。

「ふわっと速読」は、英語をラクに高速で読んで理解するスキルです。

「ふわっと」という言葉は、私の生徒さんとの英語速読のレッスン中に、心身ともにリラックスし、無に近い状態で、ラクに英語に向き合ってもらうために、私がよく「ふわっと眺める」「ふわっとイメージする」など、「ふわっと」と形容して伝えることから、命名しました。

詳しいやり方は第2章でお伝えしますが、「ふわっと速読」では、まず目線を広くしスムーズに動かすトレーニングから始め、大量の情報を目から効率的に脳に送り込めるようにします。

最初は、慣れない情報の入れ方に脳がびっくりすることもありますが、次第に脳の処理が慣れて、追いついてきます。

こうしたトレーニングを繰り返していると、まるで日本語を何気なくラクに読むときのように、サーッと速く読めます。

しかも和訳せずに、意味のイメージが脳に直接湧いてパッと理解できるようになっていくのです。

まさに「ふわっと」イメージが湧いてくる感覚が習得できるようになり、学校の英語教育でついてしまった「きっちり読むクセ」から抜け出すことができます。

これは、**「脳の使い方が変わった」**ということです。

脳が変われば、英語全般が得意になる

脳の使い方が変われば、耳から入ってくる情報も素早く処理できるようになるので、リスニング力も自然にアップします。いちいち日本語を介さず、聞いた英語から直接意味をイメージして理解できるようになるのです。

すると、**イメージを伴った英語のインプットが蓄積されていくので、言いたいこともポンと出てきやすくなります。**

ふわっと速読のスキルを身に付けていく過程でこうした変化が現れてくると、英語に対する緊張感や苦手意識、「自分にはできない」といったネガティブ思考など、様々なメンタルブロックも自然に外

れてきます。

メンタルブロックがあると、成長にリミッターがかかって伸びにくくなり、英語力アップの取り組みを継続すること自体がひと苦労になってしまいますが、**「ふわっと速読」なら、こうしたブロックを外すこともできるのです。**

そして、リラックスして楽しく学べるようになると、さらに加速度的に、英語力全般がスキルアップしていきます。

英語の速読というと「いやいや、自分は日本語を読むのも遅いから、英語なんてとても…」と言う方がいます。

確かに、日本語ですら、読むときの目と脳の使い方のクセが邪魔をして、その人の持つポテンシャルを発揮できていない人が多いのが実情です。

だからこそ、簡単にできる「ふわっと速読」によって、目と脳の使い方を変えるのです。

そして、「ふわっと速読」の目と脳の使い方は日本語にも活かされるので、実践することで、英語だけでなく日本語もラクに速く理解できるようになります。

このスキルは、英語の勉強だけでなく、日本語・英語両面での資格試験や受験のための勉強、仕事の資料読みなど、「読むこと」に関わる様々なシーンでの効率アップに役立つでしょう。

〉英語を話すために必要な「3つのカギ」とは

「ふわっと速読」をすることで、これまでの英語の理解のクセが消え、英語を日本語のようにスムーズに理解できるようになると、お伝えしてきました。

ただ、「ふわっと速読」の効果は、これだけにとどまりません。「ふわっと速読」のメソッドには、英語力を上げ、英語をスムーズに話すために必要な3つのカギが詰まっているのです。

【英語を話すために必要な3つのカギ】

①**大量の英語をインプットする**

②**イメージで理解する（右脳モードで理解する）**

③**“いい加減”に英語と向き合う**

ここまでに少し触れた話もありますが、それぞれの「カギ」について詳しく説明していきましょう。

【英語を話すためのカギ①】
大量のインプット

英語を話すためには「大量に英語をインプットする」ことが必要です。これは、人は「インプットしたものしかアウトプットできない」という考え方に基づいています。

この考えのもとになっているのが、1960年代から始まった「第二言語習得論」(SLA＝Second Language Acquisition)の研究です。ここでは、どうすれば人が第二言語を習得しやすいかが研究、報告されています。日本では白井恭弘教授の著書などで紹介され、諸説あり、まだ解明途上の分野もありますが、現時点では、これが最も科学的な根拠のある理論だとされています。

この理論の根幹をなすのが「大量のインプットと少量・適量のアウトプット」(白井恭弘著『英語教師のための第二言語習得論入門[改訂版]』大修館書店　より)です。

⟩ 人は自分の中にあるものしか、アウトプットできない

人は自分の中にあるものしかアウトプットできないので、まずは「大量のインプット」(読む・聞く)を行うことが重要だと、第二言語習得論では提唱されています。

これに異論を唱える研究者はおらず、**英語ができるようになった人は例外なく大量のインプットをどこかの段階でしているとのこと。**

自分の中のインプットの蓄積量を増やしながら、「少量・適量のアウトプット」の練習をすることにより、「自動化」(後述)が加速さ

れ、自然に話せるようになっていくというのです。
ただし、そのインプットは「理解可能なインプット」（comprehensible input）であることが大前提です。
ただ大量に読めばいいというわけではなく、意味がわからない言葉を大量に聞き流せばいいということでもなく、**「意味を理解しながらインプットする」ことで、自分の中に定着するのです。**

そのためには、最初から難解なものを頑張って読む必要はありません。自分のレベルより少しだけレベルの高いもの、ぎりぎり理解できるものを大量に読んでインプットするのがよいとされています。
こうしたインプットを続けていると、少量・適量のアウトプット練習で、自然に言いたいことが出てくるようになるのです。
この「大量のインプットと適量・少量のアウトプット」が、英語力アップのための最強のカギと言っていいでしょう。

では、その「大量のインプット」と「少量・適量のアウトプット」の最適な比率はどれくらいかというと、白井教授によれば**「7対3」**くらいだそうです。
ただし、この最適な比率は、自分の現状や目指したい自分の姿によって異なるでしょう。既に自分の中にあるインプットの蓄積をアウトプット（話す・書く）するのが得意な人は、アウトプット練習をそれほどしなくても、大量のインプットだけで自然に言葉が出てきやすいものです。
逆にアウトプットが苦手という人は、例えば「１対１」の割合で英語を話すとか、まずは最低限インプットしたものを口に出してみるなどのアウトプット練習を多めにし、次第にインプット（読む・聞く）の比率を増やしていったほうがいいかもしれません。

大量のインプットとはどれくらい？

大量のインプットの「大量」とは、具体的にどれくらいの量でしょうか？

これも多いにこしたことはないですし、人によって異なるので一概には言えませんが、例えば、英語の勉強に１日１時間取れる人は、**「量の比率≒時間の比率」**とみなして、インプットとアウトプットに費やす時間の割合を３対１にしてみます。つまり、45分程度をリーディングやリスニング（インプット）に費やし、15分程度をスピーキング（アウトプット）の練習にあてるという具合です。

勉強は１日に30分が限度という人は、それぞれその半分の時間になりますし、１日に2〜3時間取れる方はその2〜3倍が目途になります。

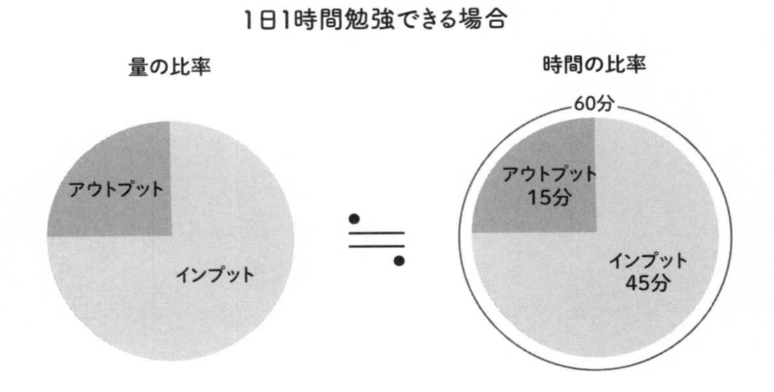

こうした限られた時間の中で、大量のインプットをより効率よく行うのに有効なのが「ふわっと速読」です。

「ふわっと速読」を習得すれば、同じ時間でもインプット量が2倍以上になることもあるので、時間をより有効に使えます。

そして、単に読むのが速くなるだけでなく、イメージで理解しながらインプットできるようになるので、第二言語習得論の効果をより高めることにつながるのです。

⦿ どちらがいい？「聞く」インプットと「読む」インプット

大量のインプットというと、「聞く、読む、どちらのインプットをすべき？」と思った方がいらっしゃるでしょう。第二言語習得論の海外の文献では、「聞く」インプットが主になっているものもあります。

しかし、インプットは前述したように、理解できるものであることが前提です。既にリスニング力がある人にとっては「聞く」インプットも効果的ですが、そうでない大半の人にとっては、「読む」インプットのほうがラクに理解しやすいのではないでしょうか？

その場合、「読む」インプットをベースに「聞く」インプットも高めていくことが有効です。

ただ、その「読む」も、学生時代のように、一言一句をきっちり理解する読み方をしていると、力が入って疲れ、時間もかかるので、一日にインプットできる量も限られます。

また、文法や和訳をベースにした理解は、日本語からイメージして理解しているため、英語から直接のイメージが湧きにくいものです。

のちほど詳しく説明しますが、イメージの伴わないインプットは、英語力アップにつながる真のインプットとは言い難く、一言一句読むインプットではあまり効果が見込めません。

イメージを湧かしながら、英語を速く読むふわっと速読こそ、大量のインプットを効率的・効果的に行うのに最適な方法なのです。

言語習得に欠かせない「自動化」もできる

第二言語習得論において、「大量のインプットと少量・適量のアウトプット」にプラスして、もう1つ大事なのが、23ページで少し触れた**「自動化」**です。

「自動化」とは、「意識しなくても自然にできるようになる」ということ。

英語においては、「英語をインプット（読む・聞く）するときに、無意識のうちに自然に理解できるようになる」「英語をアウトプット（話す・書く）するときに、無意識のうちに自然に言葉が出てくるようになる」ということを指します。

まさに、英語に取り組んでいる人が到達したい地点です。

これは、車の運転をイメージするとわかりやすいでしょう。

車の運転を習得するには教習所に行き、指導官のもと実際に運転しながら練習します。まずは教習所内で練習しますが、最初は誰でもブレーキを踏んで、ウインカーを出して…と、いちいち頭で考えながら行うでしょう。

しかし、慣れてくると、だんだん無意識に運転できるようになります。教習所内の次は一般道です。初めて一般道に出るときは、周りの車も走行しているので危険度が増して緊張し、頭で考えてしまって視野が狭くなりがちですが、次第に慣れてリラックスして運転できるようになります。

その次は高速道路です。高速道路では一般道よりさらに速い未体験のスピードで走行するので、初めは緊張します。しかし、しばらく運転していると、次第にスピード感覚に慣れてくるのです。

こうした段階的な練習を経て、自然に運転できるようになると、免許を取得できます。そして、自動車の運転が日常的になると、頭でいちいち考えながら運転する人はいないでしょう。景色を楽しみ、ラジオを聞き、同乗者と会話しながらでも、無意識のうちに自然に運転できるようになるのです。

これが「自動化」したということです。

楽器やスポーツも同じです。ピアノを弾ける人は、楽譜を見れば自然に音をイメージして指が動きますし、スポーツも最初は動きのフォームを意識しますが、練習や実戦で慣れたらいちいち考えずにできるようになります。極端なことを言えば、歩くことも「自動化」です。

このように、**脳が指令を出して行うことは、最初は頭で意識して考えながら行いますが、慣れるにしたがって無意識に自然にできるようになる、つまり自動化していくのです。**

英語においてもこの「自動化」が重要です。

皆さんの多くが身に付けたい英会話における自動化とは、いちいち頭で文法や単語を考えながら話したり聞いたりするのではなく、日本語で会話するときのように、伝えたい内容が自然に口から出てきたり、聞いた内容のイメージが自然に湧いて理解できることだと思います。

日本の学校の英語教育では、単語や文法に基づく訳読を中心に学びますが、圧倒的にインプットが不足し、また、自然にアウトプットできるようになる自動化の練習ができていません。

この自動化の効果を飛躍的に高めるのが「ふわっと速読」です。「大量のインプット」を効果的に行い、インプットの蓄積をベースに「少量・適量のアウトプット」練習を反復して行うことで自動化が促進されます。こうして、より効率的に英語を自然に話せるようになるのです。

【英語を話すためのカギ②】
イメージ（右脳モード）で理解

「英語脳」という言葉がありますが、聞いたことがあるでしょうか？

英語を英語のまま理解する脳のことですが、もっと具体的に言うと**「日本語を介さずに、英語から直接、意味をイメージする脳の使い方」**のことです。

例えば「apple」と聞いたら、日本語に訳さなくても、パッとりんごの絵が思い浮かぶのではないでしょうか？　それは、既に脳内で「apple」という言葉と、りんごのイメージが結びついているからです。しかし、知らないフルーツの名前を言われても、そのイメージは湧きません。これは日本語でも同様で、果物の王様といわれる「ドリアン」を知らないとしたら、その音は聞き取れても、何もイメージが湧いてこないでしょう。

このことは、１つひとつの単語の理解に留まらず、文の意味や文脈、状況を理解するときも同じです。あなたは「May I have your attention, please?」（直訳：あなたの注意をいただいてもいいですか？）という表現を聞いたら、どのような意味や状況をイメージするでしょうか？

①公共での重要発表　②プレゼンやスピーチのはじまり
③先生の教室等での伝達　④緊急事態の伝達
⑤交通機関（飛行機・電車等）やその場（空港や駅等）での重要事項の伝達

「May I have your attention, please?」は、このような場面で、聞き手の注意を喚起するときに「皆さん、これから重要なことを伝えるのですが、静かに注意して聞いてもらえますでしょうか？」と伝えるために使います。それが聞き手の経験によって、⑤の空港でのアナウンスをイメージする方、②のプレゼンの状況をイメージする方などに分かれると思います。

何をイメージするかは聞き手の経験による

一方で、この表現自体を知らなかったり、それが使われる状況に出合ったことがなかったりした場合は、聞いても何のイメージも浮かばず、ピンと来ないのではないでしょうか。

このように、人は入ってくる情報を理解するときに、自分の経験や知識として持っている記憶と結びつけようとします。

そして人は五感で記憶しますが、視覚からの記憶がメインなので、ビジュアルのイメージとして思い出し、理解することが多いのです。

これを**「イマジネーション（imagination）」**と言います。

ですから、英単語を覚えるときに、ただ機械的に日本語の意味とつなげて覚えても、その日本語を介さないとイメージが湧きません。

また、英文を理解するときも、自分の経験と結びついていなければ、イメージ化するのに時間がかかったり、直訳しても意味がわからなかったりします。

その英文や表現が使われる状況や文脈を知っており、自分自身の経験や知識の記憶から、直接イメージできることが大事なのです。

理解に必要な「イマジネーション」と「アソシエーション」とは

もう1つ、イマジネーションと似ているのが**「アソシエーション(association)」**です。これは「関連付け・連想」といった意味で、直接の経験がなくても、自分の経験に近いものと結びつけて連想して理解することです。

例えば、「山登りをして転んで大変だった」という話を聞いたとします。そのときに、山登りをした経験がなくても、足場の悪いところで転んだ経験から連想したり、またはテレビなどで見た映像から連想したりできます。すると、自分の中に直接的なイメージがなくても、その情報が腑に落ち、理解できるのです。

認知心理学では、こうした理解のもとになる一般化された経験や知識の枠組みのことをスキーマ(schema)と言います。人は概ね、こうした経験や知識(スキーマ)をもとに、「イマジネーション」と「アソシエーション」を繰り返しながら物事を理解しています。

思考表現法であるマインドマップの考案者として知られる英国のトニー・ブザン氏も、このイマジネーションとアソシエーションをうまく用いると、理解や記憶が深まるとしています。英語をラクに速く理解できるようになるためにも、「イマジネーションとアソシエーションで理解する」ことが必要です。

俗にいう「右脳」の使い方のうまい人は、このイマジネーションとアソシエーションを自然に使っています。**英語を読んだり聞いたりしたときにも、自然にイメージが湧いてきて、ラクに高速で内容を理解できるのです。**多くの皆さんにわかりやすいよう、**本書では**

これを「右脳の理解」と言い、こうした脳の使い方を「右脳モード」と言うことにします。具体的には、英文を大きな意味のカタマリごとに捉え、それを自分の経験や知識と結びつけて、「こんな感じのことを言っているな」と感覚的に内容を理解することです。

別の言葉で言えば、「ピンと来る」「しっくり来る」感覚です。ピンと来たとき、しっくり来たとき、自分の中にある何かとつながった感じがすると思います。

それに対して、**単語１個１個の意味を考え、それを文法に沿って積み上げてきっちり理解することを本書では「左脳の理解」と言い、こうした脳の使い方を「左脳モード」と言います。**

この方法では、理解に時間がかかり、一生懸命理解しようとして力んで疲れやすく、木を見て森を見ずになりやすいです。

また、知らない単語があると、そこに引っかかって先に進みにくくなります。意識がその一点に集中するので全体の意味もつかみにくくなります。それが会話中であれば、わからない単語や聞き取れない部分に意識が集中してしまい、そのあとの内容が全く頭に入ってこなくなったりします。「右脳の理解」をすれば、知らない単語が１割あったとしても気にならず、残りの知っている９割の単語から、自分の経験や知識と自然に結びついて、その文のおおよその内容をラクに理解することができるのです。

私の主宰するMax Reading（英語脳トレジム／英語速読）の体験セミナーやコースの受講生には、よく写真を想像してもらって「右脳の理解」と「左脳の理解」の違いを体感していただいています。

まず、ある１枚の写真を９分割した以下のピース（①〜⑨）を、１つにつき約２秒ずつ、ゆっくり順番にご覧ください。

そして、その本来の全体写真（以下のように縦方向に左から順で並んだもの）を想像して下さい。

①	④	⑦
②	⑤	⑧
③	⑥	⑨

すぐに全体写真が想像できましたか？

おそらく、個別のピースから全体を把握するのに頭で考えてしまい、すぐに全体を想像するのに苦労したのではないでしょうか？

これが、本書でいう「左脳の理解」の弊害の１つです。ここまで見ていただいたところで、次の写真を見てみましょう。

こちらは、約１割程度が歯抜けになっている全体写真です。この写真は何を示しているか、すぐにわかる方が多いのではないでしょうか。

人によって写真の捉え方が違うかもしれませんが、沢山の猿がいるエリア内で人がマイクを持って話している写真です。帽子をかぶってマスクをしている女性とまで細かく認識する方もいるかもしれません。また、これが私の故郷である大分県の高崎山（野生の猿が住む山）だと気づき、飼育員が観客に何かを説明しているシーンだと想像できる方もいるでしょう。

このように歯抜けの部分を想像で補って全体を把握することは、誰もが自然に行っています。これが本書でいう**「右脳の理解」**です。「ふわっと速読」でも、1割くらい知らない単語があっても意味のカタマリ全体を広く見ることで、大体の全体的なイメージを、頭で考えることなく瞬間的につかむことができます。

また、以下のように、ぼかしが入った写真でも、おおよその内容のイメージをすぐにつかむことができるでしょう。

次のページの写真が、オリジナルの全体写真です。

全てはっきり見えるにこしたことはないですが、こうした「概要の理解」でも、認識したい目的によっては十分ではないでしょうか？

この写真全体が意味のカタマリと言えます。

意味のカタマリを分割して個別に詳細を一生懸命見ていくのではなく、全体を広く俯瞰することによって、ラクに速く理解することができるのです。

英語でも同様です。

木を見て森を見ずでは、かえって理解度が下がります。

一語一句追って理解するのではなく、「ふわっと速読」の手法で、広く眺めるように英文と向き合い、「右脳の理解」を発揮できるようになれば、理解可能な大量のインプットを高速かつ効率的にできるようになります。

写真を眺めるときの脳の使い方と同じなので、コツと感覚をつかめば、英語でもある程度できるはずです。

「ふわっと速読」では、トレーニングの中に「左脳モードから右脳モードに変わる仕掛け」を多く取り入れています。

頭で「右脳モードになろう」と思ってもなかなか切り替えるのは難しいものですが、トレーニングをすれば、自然と右脳モードで理解できるように変わっていけます。

【英語を話すためのカギ③】
いい加減が“いい”加減

英語を長年勉強しているのに、なかなか英語力が伸びないと悩んでいる人の特徴に、「頑張りすぎている」ことが挙げられます。

頑張ること自体はいいのですが、「ちゃんと読まないと！」「ちゃんと聞かないと！」という意識が強すぎて力んでしまうのです。

日本語であれば、読む対象にもよりますが、読むときに「ちゃんと読まなくては！」と頑張る人は比較的少ないでしょう。特に、雑誌や新聞、パンフレット、漫画などを読むときは、何気なくサーッと読んでいるのではないでしょうか。しかし、英語を読むのが遅い人は、以下のようなクセを持っています。

- **しっかりきっちり読まないと理解できないという意識がある**
- **したがって、一字一句を目で追って読もうとする（顔を横に動かして読むこともある）**
- **そのとき、脳内や実際に口を動かして音読する。音読しないと理解しにくい**
- **単語ごとの意味を考えて組み合わせ、文法に当てはめて理解しようとする**
- **知らない単語やわからない部分があると止まる、または返り読みをする**
- **焦って目が泳いだり目だけが上滑りしたりして、意味が入ってきにくい**

- **英語を和訳する。和訳しないと理解できない**
- **そもそも英語自体や英語を読むことに苦手意識がある**

こうしたクセを複数持っている人はかなり多く、その根本にあるのが「英語はきっちり理解しなきゃ」という意識です。この意識は、前項で述べた「広く眺める」ことを難しくし、「左脳の理解」を促進させてしまいます。したがって、こうした「きっちり」「しっかり」「ちゃんと」といった意識を手放し、気楽に英語と向き合うことが大事です。

言い換えると、**英語のリーディングやリスニングにおける理解(インプット)は、「いい加減」なくらいが「"いい"加減」ということです。**
「いい加減」とは、心も体もリラックスして、細かいことを気にせずに5〜6割程度の理解で全体像(概要や重要なこと)を捉えられればいいやと気楽に思うこと。そうした気持ちで英語に向き合うことで、右脳モードになり、スッとイメージが湧いてラクに速く理解しやすくなります。

アウトプットでも、いい加減を大切に

「いい加減が"いい"加減」はアウトプットにおいても同様です。「ちゃんと正確な英語を話さなきゃ」と思うと、脳が左脳モードになって肩に力が入り緊張します。そして、浮かんできた日本語を訳すことに一生懸命になり、英語がうまく出てきません。

したがって、「少しくらい間違った英語でもいい」「重要なことが

伝わればいい」くらいの気楽な感覚（＝いい加減）で臨みましょう。すると右脳モードになり、伝えたいことが英語で出てきやすくなります。お酒の場や楽しい雰囲気の場だと、自然に緊張がほぐれて「いい加減」になり、英語が出てきやすくなるのと同じ原理です。

それでも、会話中に日本語が先に浮かんでしまうのは、よくあることでしょう。

例えば、相手が自分に自信がなくて、やりたいことを行動に移すのに躊躇している状況のとき。

「背中を押してあげたい」という日本語が浮かんだとしても、左脳モードになっていると「背中を押すって何て言うんだっけ？」とぐるぐる考えてしまうことがあります。

そんなとき、右脳モードに切り替えられれば「○○さんならできるよ」という応援したい気持ちに気づき、「You can do it!」といった簡単な英語が出てきたりします。

大体の内容や気持ちが伝わればいいという気楽な感じでいれば、日本語が浮かんだとしても、英訳するのではなく、伝えたいことのイメージが湧いてきて、イメージを表現する簡単な英語表現が思いつきやすくなるのです。

このように、インプット、アウトプットの両面において、ある意味「いい加減でいいや」と心身ともにリラックスすると、左脳モードから右脳モードに切り替えられます。

英語に限らず、何事においても性格的にきっちりしないと気が済まない方がいらっしゃるかもしれませんが、それを手放すことで、新たな自分の可能性を発見できるチャンスが生まれます。

是非、思い切って「いい加減が“いい”加減」を実践してみてください。

脳の使い方をリセットしよう

私たちの多くは、中学校に入ってから英語の勉強をしてきました。

学校の勉強は、単語の意味を覚えることや、英文を主語、動詞、目的語などに分解し、その文型や文法を覚えることから始まり、文法問題を解いたり、忠実に和訳・英訳したりすることが多かったでしょう。

そして、試験や評価があるので「大体こんな感じ」といった、「ふわっとした覚え方」や「いい加減なやり方」では、いい点数や成績が取れないと思い込んできました。それは受験でも、TOEICや英検といった資格試験でも同じです。

そのため、私たちには、英語を読むときに「１つひとつの単語から文法まで細かくきっちり理解し、それをきちんと日本語に訳して理解する」という読み方のクセがついてしまっています。

英作文でも、まず日本語で考え、それを単語・熟語の意味や文法を押さえた上で正確に訳さなきゃと思ってしまいます。

しかし、この「左脳モード」は、これまで学校のテストや受験、資格試験などでは有効な方法でしたが、実用的な英語力を伸ばすのには向いていません。

試験でいい点数が取れていた人は、既にベースの英語力があるはずですが、英会話になると話せないと悩んでいる人が実に沢山いることからもわかります。

最近は、学校教育も実用英語重視に変わりました。2021年からの大学入学「共通テスト」では、大量の長文読解問題とリスニング問題のみになったので、生徒も学校や塾の先生も、文法や訳読中心の「左脳モード」では立ち行かなくなったのです。

実用的な英語力を身に付けるとは、旅行や仕事、英語で行う授業や留学、ワーキングホリデーといった現実のシーンで、スムーズに英会話ができたり、英語のメールや資料などからラクに情報の収集や処理ができたりすることです。グローバルな情報社会やネットワーク社会においては、英語を使うシーンは多岐にわたります。

そのためには、**ネイティブが話す速いスピードについていき、パッと理解して、自分の言いたいことをパッと言葉にできる英語力や、多くの情報から必要な情報を読み解く英語力**が必要です。

これらのベースになるのが、「右脳モード」で英語を理解する力。

しかし、多くの日本人は英語に対して左脳モードになっているので、それを切り替えるためのトレーニングとして「ふわっと速読」が最適なのです。

読むスピードも、脳処理スピードも上がります

「ふわっと速読」は、私が主宰するMax Reading（英語脳トレジム／英語速読）の中で行っている速読法のうち、１人でできる初歩トレーニングをまとめたものです。

速読というと「難しい」「できない気がする…」という方は多いのですが、「ふわっと速読」は誰でもできるとても簡単な速読法。

実際、Max Readingの体験セミナーには、1,800人以上の方々（8～74歳まで）が参加していますが、全員がスムーズにできています。

そして、個人差はありますが、その約１時間のトレーニング前後のWPM（Words Per Minute：１分間当たりの読む単語数）の計測で、**平均約1.8倍の読解スピードの向上**を体験し、アンケートでは９割以上の方が効果を感じて「大満足」「満足」されています。

読む対象にもよりますが、日本人が英語を読むWPMの平均は80～100くらいなので、**１回約１時間の体験トレーニングで平均140～180くらいまで伸びる**ことになります。

ネイティブ以上に速く読めるようになる人も!

「ふわっと速読」をマスターすると、個人差はありますが、２倍以上、数値にするとWPM＝200～250くらい（１秒あたり3～4単語くらい）になることが期待できます。

これはネイティブの平均的な速度ですから、ネイティブ並みのスピードで英語が読めるようになり、大量のインプットが高速でてでき

るようになるということです。

英語の速読というと、「どんなトレーニングをするんだろう」と心配する方もいると思いますが、**「眺める」ことが基本になります。**しかも、自分にとって簡単だと思う本を眺めることから始めるので、誰でも簡単に取り組めるのです。

そのトレーニングを繰り返すことで、「一字一句、きっちり読もう」というクセがとれて、読むのが速くなるだけでなく、脳の処理速度も高まります。

いかがでしょうか。
「ふわっと速読」なら、トレーニングの過程で、脳の使い方をリセットし、自然に左脳モードから右脳モードに切り替えられ、「聞く」インプットや「話す」アウトプットにも応用可能、英会話力や実用的な英語力も効果的に高めていけます。

ふわっと速読の効果やメカニズムを知っていただいた上で、次の章から、具体的なトレーニングの方法を解説していきます。「ふわっと」気楽に、試してみてくださいね。

第2章

実践！「ふわっと速読」

目と脳の使い方を変え、
読むスピードを上げる方法

なぜ、ふわっと速読で「目と脳の使い方」が変わるのか

「速読」というのは字のごとく「速く読む」、つまり「読む」スピードを上げることです。そのためには、読むということを以下の2つの要素に分解して考える必要があります。

「目で見る」と「脳で理解する」の両方が連動して効率よくできるようになって、速く「読む」ことができます。

まず速読に必要なのは、「目で見る」入口部分の速度の向上です。どんなに脳処理が速くても、この入口部分に何らかのロスがあると、それがボトルネックになって速く読むことはできないからです。

まず、**目の入口部分で大事なのは、広い目線です。**単語を1つひとつ目で追っていたら効率が悪く、脳も「きっちり」の左脳の理解になりがちです。

したがって一度に目で捉える範囲を広げて、その広い目線をスムーズに移動していくことで、目からの入口部分の効率を上げるトレーニングをします。

例えば、トレーニングにより半行程度の目線の幅でスムーズに目

線移動できるようになった場合は、「左半行→右半行」という目線移動になり、行の左端から右端まで全体を一語一句目線移動する場合と比べ、目線の移動距離が半分で済みます。もし目線移動の速さが同じだと仮定すると、これだけでWPMは理論的に2倍になります。もし目線の幅がもっと広く4分の3行に高められれば、目線移動距離が4分の1行で済むので、WPMは理論的に4倍になります。

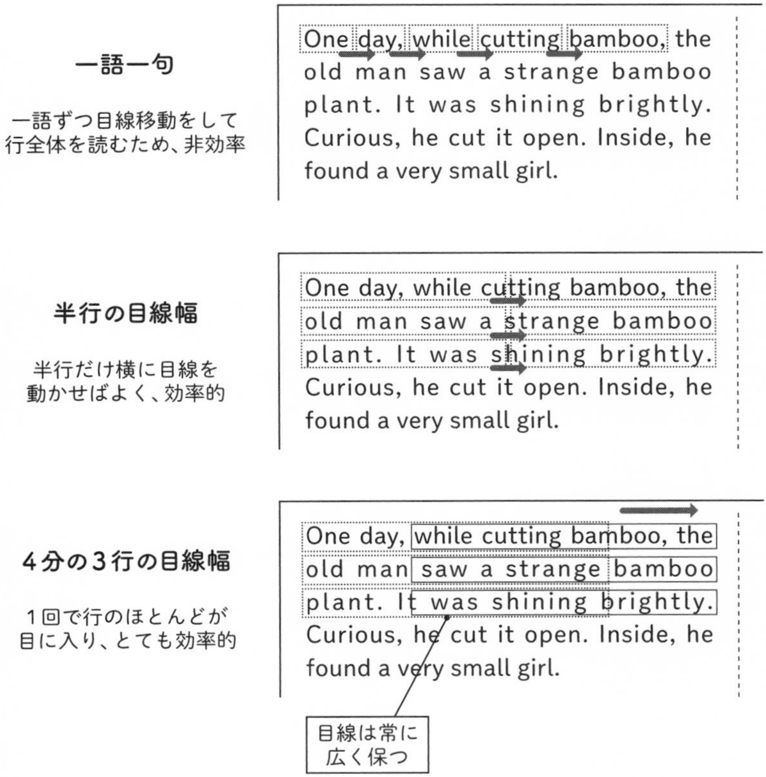

一語一句

一語ずつ目線移動をして
行全体を読むため、非効率

One day, while cutting bamboo, the
old man saw a strange bamboo
plant. It was shining brightly.
Curious, he cut it open. Inside, he
found a very small girl.

半行の目線幅

半行だけ横に目線を
動かせばよく、効率的

One day, while cutting bamboo, the
old man saw a strange bamboo
plant. It was shining brightly.
Curious, he cut it open. Inside, he
found a very small girl.

4分の3行の目線幅

1回で行のほとんどが
目に入り、とても効率的

One day, while cutting bamboo, the
old man saw a strange bamboo
plant. It was shining brightly.
Curious, he cut it open. Inside, he
found a very small girl.

目線は常に
広く保つ

一語一句左から右になぞるように読むよりも、目線を広く保ったまま少しだけ動かすほうがスムーズで安定的な目線移動にもつながります。

目線は焦って速く移動させるよりも、広く「ふわっと」と余裕を持って動かせることのほうが大事です。

ただ、広い目線でスムーズな移動ができたとしても、目から入ってきた内容を脳が理解できなければ、ただ字面を追うだけになって、結局、どんな内容だったかがわかりません。

そこで**次に必要なのが、「脳で理解する」速度の向上**です。

広い目線から大量にスムーズに入ってくる内容を、一語一句きっちり理解する左脳モードのままでは、脳の理解が追いつきません。

広い意味のカタマリをイメージで高速理解する右脳モードにすることで、ラクに理解できるようになります。

したがって、ふわっと速読では、右脳モードが働きやすくなる各種トレーニングを行います。

では、ふわっと速読では実際にどういうトレーニングをするのか、大きな流れとそれぞれの意味について説明しましょう。

トレーニングの流れと意味を押さえよう

ふわっと速読のトレーニングの全体の流れは、以下の通りです。

トレーニング前の「現状WPM計測」　59ページ〜

↓

眼筋トレーニング　62ページ〜

↓

呼吸法（リラックス法）　66ページ〜

↓

チャンキング（目線移動のトレーニング）　68ページ〜

↓

体のストレッチ（リラックス法）　72ページ〜

↓

スピードアップ・チャンキング　74ページ〜

↓

トレーニング後の「最終WPM計測」　75ページ〜

具体的なやり方は57ページ以降の「基本的なやり方」で説明しますが、まずは、各々の項目やトレーニングの意図を理解することが大切です。先に１つひとつの目的を押さえましょう。

トレーニング前の「現状WPM計測」

最初に、今の自分がどれくらいの速さで読めるかを計測します。

現在値を測定し、トレーニング後にも計測することで、トレーニング後にどれだけ伸びたのかがわかります。

英語を読む速さは「WPM」（Words Per Minute）＝「１分間に読んだ単語数」で表します。日本人の平均はWPM＝80〜100くらいですが、本書では最終的にネイティブの平均相当のWPM＝200〜250くらい（当初の２倍以上に）になることを目指します。

毎回のトレーニングでWPMを計測し記録することで、目標達成までの成長の道のりを明らかにし、振り返ることにも役立ちます。

眼筋トレーニング

ふわっと速読の基本トレーニングとして、眼筋（眼球を動かす外眼筋やピントを調整する毛様体筋）のストレッチと眼筋を速く動かす訓練を行います。目は、「読む」際の入口の「見る」部分を担う重要な器官です。

英語を読むというだけで緊張し、目に力が入ってしまう人が多いですし、日常生活ではスマートフォンやパソコンをずっと見て一点集中になり、目は極度の緊張状態や眼精疲労になりがちです。目の筋肉をほぐして血行をよくし、コリや疲れをとってリラックスさせ、いい状態にするのに、眼筋トレーニングは有効です。

一部の日本語の速読教室で、速読するときに目を速く動かせるようにするために眼筋トレーニングが有効と説明していますが、読むときに目（眼球）を速く動かすことはしないので、誤解のないようお願いします。目の力を抜き、目をいい状態にするために行うのです。

また、眼筋を動かすことは脳にもいいといわれています。欧米では、眼球を動かすビジョントレーニングは、発達障害のある子どもたちのための改善プログラムとして長年の歴史があります。目と脳は連動しているので、視覚機能が高まることにより、人間の認知能力・集中力・情報処理力、動体視力や運動能力も高まるといわれています。ビジョントレーニングを推進する日本の協会でも、眼球を動かす運動を行うことで、実際に小学生の成績がよくなり、アウトプットもうまくなったという報告がなされています。

呼吸法（リラックス法）

リラックスは、「右脳の理解」を働かせるための重要なポイントです。そのために、目を閉じてゆっくり長く深呼吸をし、何も考えずに自分の呼吸だけと向き合い、呼吸を感じます。

これはマインドフルネスなどの瞑想、禅、ヨガなどの呼吸法にも通じるものです。

外界からいろいろな情報が入ってくることで、それに捉われたり、または目の前のことに集中できずに、違うところに意識がいったりすることがあります。そんなときに、呼吸と向き合うことで、邪念や雑念を追い払うことができます。

実際に、英語を読んでいるときも、やらなければならないことが浮かんできたり、気になっている嫌なことが頭をよぎったりして、英語が頭に入ってこないことがあります。それを、自分の呼吸に意識を向けて気持ちを落ち着かせることで、目の前の英語だけに向き合えるようにします。

さらに、深呼吸には、酸素を目や脳に十分に送ることにより、目や脳の状態をよくするメリットがあります。また、血流がよくなり、体がぽかぽかしてくることもあります。日常において何かに一生懸命集中したり、緊張したりしていると、知らず知らずのうちに呼吸が浅くなることが多いので、本書で紹介する呼吸法は、まさに「読む」＝「目で見る」×「脳で理解する」ことの効果を高めます。

チャンキング（目線移動のトレーニング）

次に、１秒ごとのメトロノームの音に合わせて目線を動かすトレーニングをします。

「チャンキング」（Chunking）の「チャンク」（Chunk）とは英語で「カタマリ」という意味です。チャンキングでは、英語を１単語ずつ目で追っていくのではなく、「３分の１行」「２分の１行（半行）」「１行」などの広い目線のカタマリごとにスムーズに１秒ごとに目線を移動させます。実際に読むときに、広い意味のカタマリごとに見て脳に伝達し「右脳の理解」になりやすいよう、広い目線幅でチャンキングするトレーニングをします。

このトレーニングの重要ポイントは、「ただ見て眺めるだけ」で目線を移動させていくこと。

つまり、「読もう」「理解しよう」とすら思ってはいけないということです。

なぜなら、理解しながら読もうとすると、今現在の皆さんの理解のクセ、つまり一語一句きちんと理解しようとする左脳モードのクセがなかなか取れず、速読に有効な右脳モードの理解になりにくいからです。

もう１つ大事なのは、チャンキングをするときの姿勢と本や英語との向き合い方です。

呼吸法をしたあとのリラックスした状態の中で、**本の周りの周辺視野部分も広く感じながら、本や英語と向き合い、ふわっふわっと柔らかい目線移動をします。**こうすることで、よりスムーズな目線移動になり、右脳モードも促進されます。詳しくは、実践編で説明します。

体のストレッチ（リラックス法）

首や肩を回す、体の伸びをするといった体のストレッチをします。体が緊張しすぎると、脳も緊張してしまい、左脳モードになりがちです。体の力を抜くことにより「右脳の理解」をしやすくなります。

また、ストレッチによって血流がよくなり、目や脳にも酸素がより行き渡り、その状態がよくなります。

スピードアップ・チャンキング

チャンキング（目線移動のトレーニング）は、１秒ごとのメトロノームの音のリズムで目線を動かしていきますが、ここでは、**「1.25倍」「1.5倍」「２倍」「2.5倍」「３倍」など段階的に目線移動のスピードを速くし、速い目線移動に慣らしていくトレーニングを行います。**実際に日常で読むときは、そこまで速い目線移動をしませんが、速さに慣れると、通常の1秒ごとの目線移動がゆっくりラクに感じ、目線移動が安定する効果があります。

トレーニング後の「最終WPM計測」

最後に、トレーニング後の結果を確認します。最初に読んだ本の続きを読んで、どれだけ速く読めるようになったか、WPM（1分間に読んだ単語数）を再度計測し、最初のWPMからの伸びを確認します。

ここでは**「速く読もう」「結果を出そう」とか「チャンキングの通りに目線を動かそう」「ちゃんと理解しよう」などと意識してはいけません。**意識すると、左脳モードになったり、意識が空回りしたりする可能性が高くなるからです。

自然体な状態で本と向き合って、大体理解できればいいやという気楽なスタンスで1分間読みましょう。「リラックス・ルーティン」（76ページ）を行った上で最終計測を行うと、よりリラックスしてラクに読めます。

伸び方には個人差がありますが、皆さん徐々に結果が出ていくので、まずは一喜一憂したり気負ったりせずに、気楽に継続してやってみてください。

「ふわっと速読」基本的なやり方

これから、実践編に入ります。自分にとって落ち着く空間・環境の中でトレーニングを行いましょう。以下の一連のトレーニングを週に1〜2回(以上)行うことをおすすめします。

【準備】速読トレーニングに使用する英語本、英語教材を選択しよう

自分にとって簡単に読める、比較的やさしい英語の本や英語教材を用意しましょう。難しい本を選ぶと、一語一句、一生懸命読むクセがなかなかとれないからです。まずは、やさしめの本で、速読のしかるべき目と脳の使い方を身に付けることのほうが先決です。

どう選んでいいかわからない方は、以下のいわゆるGraded Readers(グレイデッド・リーダーズ)と呼ばれるレベル別の英語学習者用の教材から選ぶといいでしょう。

- ●IBCオーディオブックス(Level 1〜5。CD付)
- ●IBCパブリッシング社のラダーシリーズ(Level 1〜5。Audio Support付の本は、2023年12月現在でaudiobook.jpにて有料で音声ダウンロード可)
- ●Oxford Bookworms(Stage 1〜6。CD付やMP3ダウンロード付あり)
- ●Pearson English Readers(Level 1〜6。MP3ダウンロード付あり)
- ●Cambridge English Readers(Level 1〜6。MP3ダウンロード可)

第３章で紹介する英会話上達トレーニングもする場合は、始めからCDやMP3の音源付きの教材を選んでおくといいでしょう。

レベル（LevelやStage）は数字が小さいほうがやさしめで、各出版社のウェブページに難易度の基準が記載されています。

まずは自分にとって辞書なしである程度理解できるやさしめで興味のある内容の本を選び、慣れてきたら徐々にレベルアップしていきましょう。

Amazonや各出版社のウェブサイトなどのネットで探してサンプルを試し読みして購入できる他、大手書店のGraded Readersのコーナーでは手に取ってレベルを確かめて購入できます。

辞書なしで読んで十分に理解するためには、概ね98％程度の単語を知っている必要があり、90～95％だと理解度の個人差が大きいとの外国での研究結果があります。バックグラウンドや興味のあるジャンルの場合は、知らない単語が５％以上（20単語中１単語、２行に１単語程度以上）あっても比較的ラクに読める可能性があります。

まずは、実際に試し読み部分や本の最初の１ページを読んでみて、ストレスなく読めそうなものを選ぶといいでしょう。

KindleやPC上で読める電子書籍やネット記事もありますが、**速読トレーニングとしては、まずは、紙の本のほうがおすすめです。**

最近は電子媒体に慣れた方が多いので、慣れた媒体のほうが読んで理解しやすいという研究結果もありますが、紙の書籍のほうがよりリラックスして読め、効果が上がって、速読スキルを身に付けやすい傾向があります。また、あとで紹介するパラパラトレーニング（81ページ）はソフトカバーの紙の本でしか行えません。

紙の本を自分で準備する前に、真っ先にトレーニングしてみたいという方は、本書の巻末（225ページ～）に用意した英語の文章（初級用、中級用、上級用の3つ）でお試しください。

【確認】トレーニング前の現状WPM計測（1分間）

まずは、【準備】で選んだ英語の本を1分間読むことで、現在の自分のWPMを計測しましょう。トレーニング後のWPMと比較してその変化を数値で確認するためです。毎回のトレーニングごとに確認して記録し、自分の成長を確認できるようにしましょう。

計測時の3つの注意事項

まず1点目は、**現状把握が目的なので、速く読もうなどと思わずに、リラックスして、意味を取りながら読む「ご自身にとっての普通の読み方」をしてください。**計測や速読を意識して速く読もうとすると、かえって焦ってしまい、意味が入りにくくなります。

2点目は、**口に出して発音して音読するのではなく、頭の中で理解する読み方をしてください。**音読すると、自分が発音する速さになります。頭の中で理解するスピードを計測したいので、口に出して音読しない読み方でお願いします。

3点目は、知らない単語や意味がわからない部分で止まると進まなくなるので、おおよその意味を想像しながら読み進めてください。試験（学校の試験、英検、TOEICなど）でも同じように意味を想像しながら読むと思います。それと同じです。

⊙ 1分間計測の方法

タイマーやストップウォッチ（実物もしくは、スマートフォンなどのアプリ）を準備し、1分（60秒）にセットします。スタートボタンを押し、先ほどの3つの注意事項に従って、本を読み始めます。

⊙ WPMの求め方

1分間たったら、読むのをストップし、読んだ最終部分（最終行、最終単語）に付箋などを貼って印をつけ、読んだ部分が何単語だったかを数えます。それが、あなたの現状のWPM＝読む速度です。

aやtheも単語数に含めて数えてください。ピリオドやコンマは含めません。読んだ部分の単語数を1つずつ数えていってもいいですが、時間がかかるので、以下の簡易計算でもいいです。

WPM＝WPL（Words Per Line）×1分間に読んだ実質的な行数

「WPL」（Words Per Line）は、本の1行あたりの平均単語数です。その本の単語の密度が平均的・代表的だと思われる段落や数行を選び、「その段落などの単語数÷その行数」でWPLを求めます。そもそも求めるWPMも概数なので、WPL自体も、8.0、9.5のように、0.5単位に丸めたおおよその概数でいいです。

WPLの求め方　**単語数÷行数＝WPL**

例えばこの部分のWPLは…**26単語÷3行＝8.6666…　つまり8.5**

Oita Prefecture, located in southwestern Japan, is a fantastic destination that offers visitors a wide range of enjoyable experiences. From awe-inspiring natural sights and soothing hot springs to rich cultural heritage and delicious cuisine, ……

１分間に読んだ実質的な行数は、１行全体に単語がある行は１行カウントでいいですが、会話文や段落の変わり目など部分的にしか単語がない行の場合、例えば半分しかない行は、そういった行を２つ合わせて１行とカウント、1〜2単語しかない行はほぼ0行、逆に1〜2単語分欠けている行はほぼ１行と、おおよその実質的な行数を数えてもいいです。

WPMの求め方　**WPL×１分間に読んだ行数＝WPM**

例えばWPL＝10で１分間に実質12行読めた場合…**10×12＝120**

行数の数え方のヒント

Surprised, he gently picked up the baby girl and held her in his arms. "You must be a gift from the sky!" he said with a smile. He and his wife had no children,
so they saw this as a wonderful blessing.
They decided to take care of the baby as their own daughter and named her Kaguya-hime (Bamboo Princess). Every time the old man went to the bamboo forest after that, he found gold coins in bamboo, and the couple became rich.
Three years passed.
One evening, Kaguya-hime was sadly looking at the moon.

半行とみなす（smile. He and his wife had no children, ／ so they saw this as a wonderful blessing.）
1行とみなす（gold coins in bamboo, and the couple became rich.）
0行とみなす（Three years passed.）

眼筋トレーニング（2～3分間）

WPMの計測が終わったら、目（眼球）をゆっくり動かす眼筋のストレッチと目を速く動かすトレーニングをします。

これらは、眼筋をほぐし、目を疲れにくくし、目の状態をよくするために行うものです。

目は情報の入り口ですから、目の状態はとても大事。歯磨きが歯のケアなら、眼筋トレーニングは目のケアと言ってもいいでしょう。

真っすぐ前を向いたまま、目を左右、上下に動かしたり、焦点を遠近に合わせたりするのが基本です。

目や体に力を入れないで行い、特にコンタクトレンズの方は、目を速く動かすときには、シュルシュルという軽やかな感覚で動かしましょう。

そして、眼筋トレーニングの合間に瞬きをしたくなったら適宜瞬きをして下さい。瞬きにより眼輪筋を動かすことができ、涙嚢（るいのう）が刺激され、ドライアイの防止につながります。

この眼筋トレーニングは、目の状態をよくする基本トレーニングなので、歯磨き感覚で、１日に2～3回程度習慣化して行ったり、また目が疲れそうになったときに行ったりするといいでしょう。目の状態が改善されることで、仕事や勉強、読書やパソコンを使った作業の生産性アップにも役立ちます。

本やインターネット上で専門家が紹介している「眼筋トレーニング」「眼筋ストレッチ」「ビジョントレーニング」などをしてもいいですが、次から「ふわっと速読」での基本的なやり方を示します。

左右の眼筋トレーニング
(眼球を動かす外眼筋をほぐし鍛える)

①両手の人差し指を肩幅より少し広めの位置に立てます。
②真っすぐ正面を向いたまま顔を動かさないで、ゆっくり目(眼球)だけを動かして、右手の指→左手の指→右手の指→左手の指というように、右左交互に5秒ずつ見るのを、2〜3往復くらい繰り返します。
③目を閉じて、5秒以上ゆっくり目を休めたあと、目を開けて、目や体の力を抜いて、目を左右に速くシュルシュルという感じで8〜10往復くらい動かします。
④目を再度閉じて、5秒以上ゆっくり目を休めます。

上下の眼筋トレーニング
（眼球を動かす外眼筋をほぐし鍛える）

①両手の人差し指を、頭の上と顎の下（真っすぐ正面を向いたときに、両指が上下にギリギリ見える位置）に置きます。
②真っすぐ正面を向いたまま顔を動かさないで、ゆっくり目（眼球）だけを動かし、上の指→下の指→上の指→下の指…というふうに、上下交互に５秒ずつ見ていくのを、2～3往復くらい繰り返します。
③目を閉じて、５秒以上ゆっくり目を休めたあと、目を開けて、目や体の力を抜いて、目を上下に速くシュルシュルという感じで８～10往復くらい動かします。
④目を再度閉じて、５秒以上ゆっくり目を休めます。

遠近の眼筋トレーニング
（ピント調整をする毛様体筋をほぐし鍛える）

①自分の顔の前15cmあたりに人差し指を立て、さらに2〜5mくらい先の遠くの目標物を定めます（家の中の何か、もしくは外の景色の何かでもいい）。
②ゆっくり遠くの目標物→近くの自分の指→遠くの目標物→近くの自分の指と、焦点を合わせながら、遠近交互に5秒ずつ見ていきます。これを2〜3往復繰り返します。
③その後、目を閉じて、5秒以上ゆっくり目を休めたあと、目を開けて、目や体の力を抜いて、遠近の高速の焦点移動を8〜10往復くらい行います。
④目を再度閉じて、5秒以上ゆっくり目を休めます。

呼吸法
（約3分間）

ゆっくり深呼吸をします。坐禅に慣れている方は床に座ったり足を組んだりしてもいいですが、基本的には、椅子に座ってラクな姿勢で行います。椅子に少し浅めに腰かけて（座面の前半分くらいに座って）、体全体の力を抜き、足が地球とつながっている感覚で床を感じます。背中は力を入れず、すっと真っすぐ保ちます。上から軽く糸で引っ張られている感じです。目を閉じ、以下の要領でゆっくり深呼吸をします。

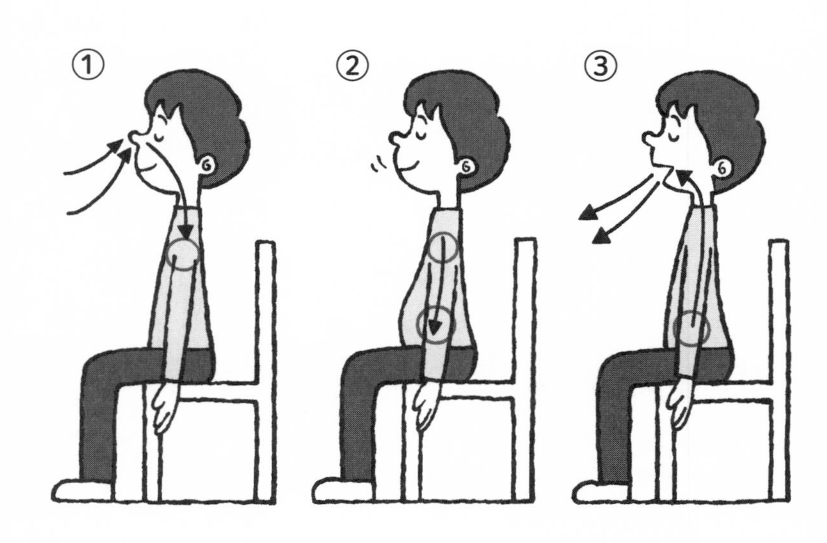

①頭の中で10カウント（約10秒）を数えながら、鼻からゆっくり息を吸う。

②息を止めて、体の力を抜いて、吸った空気を下腹に落とす。

③頭の中で10カウント（約10秒）を数えながら、口からゆっくり息を吐く。

この①〜③を5セット繰り返します。

【POINT】

※自分でカウントするのではなく、メトロノームやメトロノームアプリを使うのもおすすめです。特にせっかちな人は、カウントが速すぎることもあるので、１秒に１回程度に設定して、そのリズムに身も心も委ねる感じでゆっくり行ってください。

※①の吸うときは、必ず鼻呼吸ですが、③の吐くときは鼻から吐くほうが気持ちよくできる人は、鼻からでも構いません。

※①の吸うとき、10カウントは長いので、一気にではなく少しずつ鼻から吸っていきましょう。ただ、慣れないと途中で肺がいっぱいになり息を吸えなくなることがあります。その場合は、肺やお腹だけでなく肩や背中にも空気が入る感覚で行うと2〜3カウントくらいさらに長続きします。ただ、それでも苦しくなったらリラックス目的なので、無理せず自分のペースで息を吸いましょう。

※③の吐くときは、お腹から腹式呼吸でゆっくり吐いていくと気持ちよくできます。そして、最後の８、９、10でゆっくり吐ききると、次に吸うのがラクになります。

ここで大事なのは、自分の呼吸と向き合う感覚で、呼吸を感じながら行うことです。そのために、基本的には、目を閉じて行いましょう。外界からの情報が遮断されるので、邪念や雑念が湧きにくくなり、より呼吸と向き合えて、気持ちよくリラックスできます。

チャンキング
（計3～7分間程度）

実際の目線移動のトレーニングとして、「チャンキング」（Chunking）を行います。英語を１単語ずつではなく、広いカタマリごと（広い目線の幅）で捉えて、そのままスムーズに目線移動していきます。チャンキング練習においては、本や英語と向き合うときの姿勢が大事です。以下の基本姿勢を整えましょう。この姿勢は、実際に英語の本を読むときにも基本の姿勢となります。

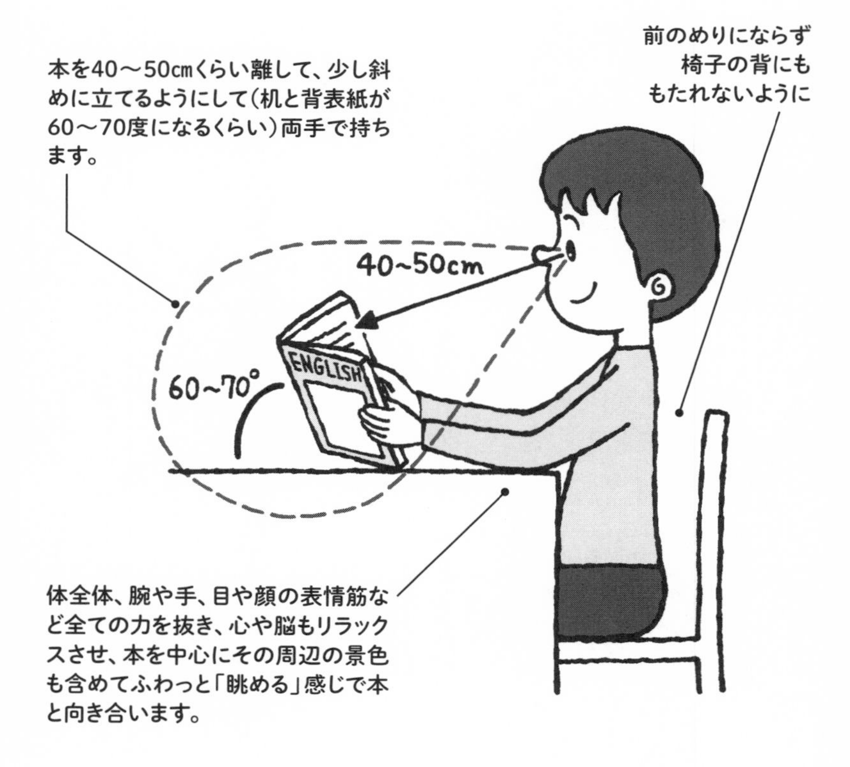

【準備】で選んだ本を用意し、以下の①〜③に従い、基本姿勢でチャンキングのトレーニングを行います。英語をただ眺めるだけなので、本のどこから始めても構いません。

①まず、一度に捉える目線の幅を決めます。目安は、【現状確認】で計測した自分のWPMを60秒で割った1秒当たりの単語数の1.5〜2倍くらいの広めの幅です。それによって、1秒ごとに捉える幅を「3分の1行」、「2分の1行」「1行」「2行」のように定めます。次の式に当てはめて割り出しましょう。

WPM ÷ 60＝1秒当たりの読んだ単語数（＝A）

↓

A × 1.5〜2倍＝練習したい1秒当たりの単語数（＝B）

↓

B ÷ WPL（1行あたりの平均単語数）＝1秒ごとに捉える幅（行換算）

例）WPL（1行あたりの平均単語数）＝8.0の本で、1分間計測をしたらWPM＝100だった場合

100 ÷ 60秒＝1.67単語／秒。1.67 × 1.5〜2倍＝2.5単語〜3.3単語／秒となる。

これを行換算しWPL＝8.0で割ると0.31行〜0.41行／秒で、これに相当する（または最も近い）「3分の1行」（＝0.33行）を一度で捉える目線幅にする。

②メトロノームまたはメトロノームアプリを準備し、１秒ごとに音を鳴らします。音を選べる場合は、リラックスできる心地よい音を選ぶといいでしょう。

③メトロノームの１秒ごとの音に合わせて、①で定めた目線の幅（例えば「３分の１行」「２分の１行」「１行」）ずつ目線を横に移動し（「１行」以上の場合には縦に移動し）、次の行以降も同じように見ていきます。

例えば「３分の１行」と定めた場合は、１秒ごとに３分の１行ずつ横に２回目線移動し、次の行以降も同様に目線移動し続けます。これを**「ふわっ」「ふわっ」と力を抜いて柔らかい目線移動で、1〜2分間程度行います。**

このチャンキングで大事なのは、英語を読もうとしたり、意味を理解しようとしたりしないこと。つまり、ただ「見る」「眺める」だけで、「ふわっ」「ふわっ」と柔らかく目線を移動させていくことです。チャンク（カタマリ）で捉えて見るときに、目線を横滑りさせたり顔を横に動かしたりしないで、真っすぐ向いたまま一括で捉えて見続けて下さい。

そして、見ていく「3分の1行」「2分の1行」「1行」などの目線幅の部分を中心に、**本の周りの部分も広く感じながら俯瞰して本と向き合って、チャンキングを行うことが大事になります。**

独り言チャンキングで何気ない目線移動を練習する

先ほど行ったチャンキングを、さらに独り言をブツブツ言いながら、疲れない程度に2〜5分間、基本姿勢で行います。

独り言の内容は、その日にあったこと、楽しかったことなど、何でもいいです。ブツブツ何気なく（または口パクで）話しながら、メトロノームの1秒ごとの音に合わせて先に定めた幅の目線移動を、広く俯瞰しながら行います。独り言が難しいと感じたら、「ふんふん」といった擬態語をメトロノームの音に合わせて何気なく言いながら（または心の中で「ふんふん」のリズムを刻みながら）目線移動をするだけでいいです。

マルチタスクを行いながらチャンキングをすることで、「読まなきゃ」「理解しなきゃ」といった「左脳の理解」のクセがさらに薄れて、より「右脳モード」になりやすくなるでしょう。

体のストレッチ
（1～2分間程度）

次のスピードアップ・チャンキングを行う前に、ここで、いったん体をほぐします。このストレッチは伸びをする、伸びをしたまま左右に体を倒す、首を回す、肩を回すなどがおすすめです。伸びた部位を気持ちよく感じながらストレッチをしましょう。脳や目に酸素を行き渡らせるためにも、深呼吸をしながら行ってください。基本的なストレッチの流れを示します。

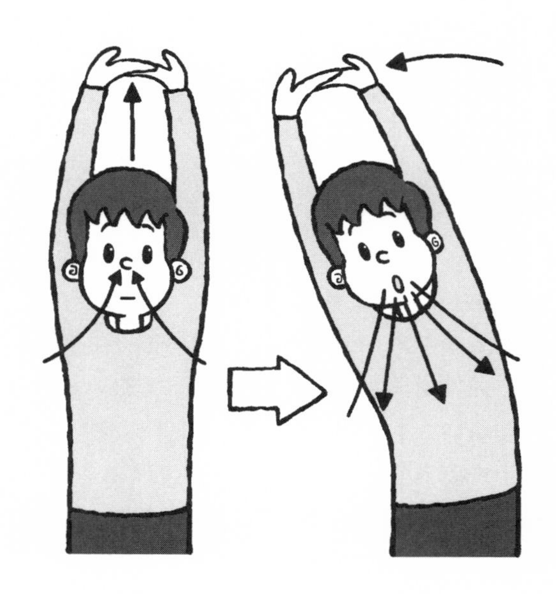

① 両手を組んで、鼻から息を吸いながら、両手をグーッと上に伸ばして、伸びをする。息を吐きながら、ゆっくり上半身を右に倒す。

② 息を吸いながら上半身を真ん中に戻し、息を吐きながら左に倒す。

③ 上半身を真ん中に戻し、鼻から息を吸いながら、再度両手をグーッと上に伸ばして、伸びをしたあと、一気に脱力してゆっくり両手をラクに落とす。

④ ゆっくり呼吸を感じながら、10秒程度首を回す。

⑤ ゆっくり呼吸を感じながら、10秒程度肩を回す。

＊深呼吸と同様、このときも何も考えず、
気持ちいいと感じながら行いましょう。

スピードアップ・チャンキング（3～4分間程度）

体がほぐれたら、次はチャンキングを少しずつスピードアップしていきます。やり方は68ページのチャンキングと変わらず、基本姿勢を整え、読む本を用意し、リラックスして本と向き合って、本の周りも俯瞰しつつ眺めていくだけです。スピードの上げ方は次の①～⑦を参考にしてください。

①まず、1.25倍の速さで10カウント程度チャンキングを行う（メトロノームの設定は1分間で75）。
②次に、1.5倍の速さで12カウント程度行う（メトロノームの設定は1分間で90）。
③2倍の速さで16カウント程度行う（メトロノームの設定は1分間で120）。
④2.5倍の速さで20カウント程度行う（メトロノームの設定は1分間で150）。
⑤3倍の速さで25カウント程度行う（メトロノームは1分間で180）。
⑥2.5倍速に戻して20カウント程度行う。
⑦3倍速に戻して25カウント程度行う。

※上記①～⑦の各カウント数は、各々約8秒ずつ行う場合の目安です。特にこのカウントや秒数にこだわる必要はありません。時間のある方は、飽きない程度にもっと長く行っても構いません。
「1.25倍」⇒「1.5倍」⇒「2倍」⇒「2.5倍」⇒「3倍」⇒「2.5倍」⇒

「3倍」という速さの変化のつけ方のほうが大事です。

スピードが速くなるにつれて、気持ちが焦って目線が泳いだり、力が入ったりして、うまくついていけなくなることもあります。

したがって、

- **速いリズムに体ごと乗っかって一緒に流れていく感じ**
- **真剣な顔をしないで何気なくやる感じ**
- **きちんとやろうと思わずにいい加減に適当にやる感じ**
- **速くなればなるほど力を抜いて広く俯瞰して本が小さく見える感じ**

が大事になります。

3倍速を行ったあとに、肩を回して体の力を抜いてから2.5倍速に戻して行うと、「ゆっくりだな」「ラクだな」と感じるでしょう。そこで気持ちに余裕が生まれることで、目線移動の安定度が上がります。

目線という情報の入り口が安定することによって、脳に安定的に情報が送れるようになり、脳がラクに理解しやすくなります。いったん気持ちが落ち着いたところで、また3倍速に戻って、目線が安定したことを実感してみてください。

【結果確認】トレーニング後の最終WPM計測（1分間）

一連のトレーニングの効果を確認するために、最後に計測を行います。タイマーまたはストップウオッチを1分間に設定し、【確認】トレーニング前の現状WPM計測（59ページ）で読み終わったところから、読んでみましょう。このときは、見て眺めるだけのチャンキングとは異なり、普通に理解しながら読みます。

ただし、きっちり理解しようとかしこまるのではなく、「大体の意味がとれればいい」という気楽な感覚で読み進めます。また、「速く読まなきゃ」「チャンキングの通りに目線を動かそう」と意識するとうまくいかないので、何も考えず、意識せず、自然体のままラクにふわっと本と向き合うことが大事です。

タイマーなどのスタートボタンを押す直前に、以下のリラックス・ルーティーンを行うと、計測ということを意識しないで何気なく読み進めやすくなります。

【リラックス・ルーティーン】

①両手で本を立てて持ち、基本姿勢で向き合う
②基本姿勢のまま、肩を回して体をリラックス（3秒くらい）
③鼻からゆっくり1回深呼吸（5秒くらいで吸い、吐く）
④読む部分の英語と向き合う前に、景色を眺めるかのように、本の後ろの空間を4～5秒眺める
⑤読む部分の英語とゆっくり向き合って、タイマーのスタートボタンを押し、用意スタート！

※このリラックス・ルーティンは、2回目以降の「トレーニング前の現状WPM計測」の直前や、日常で何かを読み始める直前に、自分自身の「読む」モードを整えるのに行っても有効です。

さて、最終計測の1分間で何単語読めたでしょうか？

私が主催しているMax Readingの体験レッスンでは、インストラクターが指導や本人に合ったアドバイスをしながら行うので、1回約1時間のトレーニングで平均1.8倍にアップします。自力のふわっと速読の場合でも1.2～1.5倍くらい伸びている方が多いのではないでしょうか？

私の生徒さんからも、「速く読もうと意識していないのに、勝手に目線が動いていくのでびっくりしました」とか、「単語の意味や文法を考えずに読んでいた自分に驚きました」といった声をいただいています。

以上の一連のトレーニング（慣れると30分間以内）を、週に1～2回（以上）行いましょう。

頑張りすぎると、速読に大事なリラックス度が落ちて空回りする可能性があるので、毎日やるなどして頑張らなくていいです。

そして、毎回のトレーニングの内容や結果（WPMの数値の変化、練習した目線のチャンク幅、読み方や理解の感覚の変化などの気づき）を次のページのフォーマットなどに記録しておくと、長期的な視点で成長を確認できます。

ただ、目の状態をよくする基本トレーニングである眼筋トレーニングは毎日（できれば1日に2～3回、目が疲れそうになったときなどに）、深呼吸も短めでいいので毎日行うにこしたことはありません。

記録シート

回	年　　月　　日		今日の読んだ感覚、気づき等
書籍名			
WPM	トレーニング前	トレーニング後	
チャンク幅	1/3行・1/2行・1行・　　行		

回	年　　月　　日		今日の読んだ感覚、気づき等
書籍名			
WPM	トレーニング前	トレーニング後	
チャンク幅	1/3行・1/2行・1行・　　行		

回	年　　月　　日		今日の読んだ感覚、気づき等
書籍名			
WPM	トレーニング前	トレーニング後	
チャンク幅	1/3行・1/2行・1行・　　行		

回	年　　月　　日		今日の読んだ感覚、気づき等
書籍名			
WPM	トレーニング前	トレーニング後	
チャンク幅	1/3行・1/2行・1行・　　行		

＊チャンク幅が２行以上になる場合は、右はじの空欄に書き込んでください。

ネイティブ以上の速さで読むのも夢じゃない!

この本での目標は、ネイティブ並みのスピードであるWPM=200〜250くらい(3〜4単語/秒程度)です。
Max Readingのコース受講者の約8割がWPM=500以上に伸びる過程を考えると、その半分程度は、無理な数字ではありません。

スポーツや趣味などと同様、伸び方には個人差がありますが、早い方は1〜5回程度のトレーニングで、多くの方は10〜20回程度のトレーニングで、WPM=200〜250を達成する可能性が十分あります。
現状のWPM(読む速さ)、遅く読むクセの強さ、英語や「読む」ことへの苦手意識の度合い、実際の英語力、英語テキストの選択などにより、効果の出方が異なります。

もともと感覚的に物事を捉えるのが得意ないわゆる右脳派の人は、「あ、こういうことね」と比較的短期間でコツと感覚をつかみやすいです。ふわっと速読でWPM=300以上も夢ではありません。

それに対して、きっちり頭で物事を考えて処理するのが得意ないわゆる左脳派の人、遅く読むクセが強い人、英語コンプレックスが強い人などは、イメージでラクに理解するコツと感覚をつかむのに時間がかかる傾向があります。

それでも、邪魔しているのはクセや自分の意識であり、ネイティブ平均くらいの速さであれば、日本人も達成する能力を持っています。

「自分にはできない」と思って悲観したり、肩ひじ張って頑張りすぎたりせず、自分の可能性を信じてください。

「ふわっと速読」のコツは、「何気なく」「気楽に」「リラックス」、そして「いい加減」に英語やトレーニングに向き合うことです。

そして、効果が定着するためには、トレーニングの積み重ねが必要です。

また、WPM＝200～250に到達してもさらに伸びる可能性があるので、安定するまでは、しばらくはトレーニングを継続することをおすすめします。

慣れてきた方へ おすすめのトレーニング

これまで説明した一連のトレーニングに慣れてきたら、以下のトレーニングをすると、さらに速読力を高められます。

パラパラトレーニング（Speed Flipping）

ハードカバーでない柔らかめの紙の英語の本を使い、**ページを何気なく高速でパラパラして、それを眺めるだけというトレーニング**です。コツは、体の力を抜いて本をパラパラしながら、本の周囲の視野を広く感じ、何も考えずに、パラパラ流れる本と向き合って眺めること。これを3〜5分くらい行います。

パラパラするのに慣れた方は、パラパラの流れる方向を途中で逆にしたり、本を上下逆にしてパラパラをしたり、パラパラの流れるスピードを超高速やゆっくりなど緩急をつけたり、いろんなバリエーションのパラパラをしてみましょう。

同様のトレーニングは、日本語の速読教室でも多く採用されており、本を速くパラパラして分速100万文字などのスピードで読めていると勘違いさせるような説明をしていることがありますが、決して読んで理解しているわけではなく、あくまでトレーニングの手法の１つです。パラパラには、以下の４つの効果が期待できます。

１つ目は、動体視力が高まることです。

パラパラ速く流れるページを眺めたあとに、静止したページを見ると、「なんて見やすいんだろう」と感じられやすくなります。

速読では、目線の幅が広いので、目線の移動距離は短くなるものの、それでも目線移動は必然的に生じます。目線を動かしながらだと、目で文字をキャッチするのに、何らかのロスが発生しやすくなります。動体視力が高まると、目線の動きがより気にならなくなり、文字をラクに捉えやすくなります。

このパラパラの動体視力効果は、野球のバッティングなどの動体視力を要するスポーツの領域にも現れます。

２つ目は、１回で捉える目線の範囲がさらに広がることです。

本とその周辺も感じながら、パラパラしている部分を中心に眺めるので、自然に視野が広がり、より広く安定した目線移動になりやすくなります。

３つ目は、「読まなきゃ」「理解しなきゃ」といった意識から解放されて、「無」になれることです。

パラパラでは文字を読んだり理解したりできないので、理解しようと思うことなく眺めるしかありません。パラパラトレーニングを行ってすぐに、あるページを開いて何気なく読んでみると、「理解しよう」という意識が薄れ、より無に近い状態で本と向き合えて、意味のイメージが湧きやすくなります。

4つ目は、パラパラに慣れてくると気持ちいいので、リラックスできることです。

特にペーパーバックのような柔らかい紙の本で行うほど、ページがパラパラとラクに流れていき、本に接する親指の感覚も気持ちよく、何も考えずに眺められるので、リラックス効果が高まります。

このパラパラトレーニングをした直後に、その本を気楽に読んでみると、目で捉えやすくなったり、文字が飛び込んでくる感覚が感じられたり、視野や目線が広くなってラクにカタマリで意味が入りやすくなったりします。個人差がありますが、いろんな感覚の変化を感じられるでしょう。

まだパラパラ自体に慣れていなかったり、力が入ったり構えたりすると、効果を感じにくいですが、次第に慣れてリラックスして何気なくできるようになると、何らかの変化を感じます。

これを、「チャンキング・トレーニング」のあとや、トレーニング後の最終WPM計測のリラックス・ルーティーンの直前にやるのもおすすめです。

そして、暇なときや、日常的に本や資料やネット記事（日本語を含む）を読む前に、何気なくパラパラやってみるのもいいです。自分を右脳モードに整えるのに効果的です。

電子媒体で行う「ふわっと速読」

一般的に紙の本のほうがトレーニング効果が出やすく、パラパラは紙の本でしかできないので、これまでは紙の本を前提にしたトレーニングをおすすめしてきました。

ただ、紙の本でのトレーニングに慣れてある程度効果を感じたら、パソコンやタブレットなどの電子媒体上で電子書籍を使ってトレーニングしてもいいでしょう。次に、各デバイスごとのメリット・デメリットを簡単にまとめました。「ふわっと速読」を電子媒体で行うときの参考にしてみてください。

タブレット

タブレットの場合は、紙の本を手で持ったときのアナログな感触はないものの、サイズにもよりますが、紙の本と見え方が似ています。したがって、紙の本でラクに読むのに慣れた方は、さほど違いを感じないかもしれません。

文字の大きさやフォントを変えられるというメリットがあるので、自分の目で捉えやすい大きさの文字に変えて読んだり練習したりするといいでしょう。

スマートフォン

スマートフォンもタブレットと同様のメリットがありますが、横幅が狭いので、速読するときに目線の左右の動きが少なくなって、逆に速読しやすくなりますし、複数行にまたがるコンテンツを目で捉えてカタマリで理解しやすくなります。特に、横幅の広い紙の本で速読トレーニングを積んだ方はそれを実感しやすいです。

目線をどんどん下にスクロールしやすく、ラクに速読しやすいので、日常においてスマホで読むときに試してみてください。

ただ、画面が小さく、広く捉えるトレーニングとしては効果が出にくいです。また、複数行での意味のカタマリで捉えやすくても1回で捉える単語数自体が少ないので、広い画面のタブレットやパソコンに比べれば、速読でも多少遅くなる傾向があります。

パソコン

パソコンの場合は横幅があるので、横の目線移動の動きが大きくなります。そのため、広い目線での速読に慣れていない方の場合、目が泳いでしまって、うまくコンテンツ自体を目で捉えられなかったりします。

最近は、パソコン上で文字を読む機会が多いとか、そのほうが慣れているという人が増えてきています。パソコンなら自分にとって読みやすい文字サイズやフォントに変更ができます。このメリットを活かし、より広い視野を感じながらトレーニングしてもいいでしょう。その際の読む対象は、オンラインで購入したやさしめの本や、自分に興味があるジャンルの英語記事などを使うといいです。適切なオンラインコンテンツがない場合は、Amazonやkindleで試し読みできるサンプルコンテンツを利用するのもおすすめです。

また、日常でデジタルコンテンツを読むときにも、「ふわっと速読」の目と脳の使い方を試すと、実践力が上がるでしょう。

「あり方」を変えると、習得スピードは加速する！

速読トレーニングはそのスキルを習得するための「やり方」も大事ですが、「英語」や「速読」に向き合うだけに留まらない自分自身の「あり方」も大事です。

「あり方」が伴っていないと、いくら自分に合った正しい「やり方」（メソッド、方法）でトレーニングをしても、結果が出にくいことがあるからです。ふわっと速読のベースになっているMax Readingでは、Max Being（あり方の最大化）も大事ですよと説明しています。その「あり方」の５つの重要ポイントについて説明しましょう。

1. 俯瞰とメタ認知

１つ目は、**英語の文章を俯瞰すること**です。一字一句目線を動かし「木を見て森を見ず」になるクセから脱却し、英語の文章をカタマリで捉えられるよう、周辺を含む視野を広く感じながら、森全体を見るように俯瞰して本や英語と向き合うことが必要です。

物理的に実際に広く見ることによって、物事を大局的に捉える見方につながります。

さらに、自分の頭15cmくらい後ろ、少し上からもう１つの目で見る感覚で、本や英語と向き合うと、より俯瞰的に向き合えますし、英語と向き合っている自分自身のことも俯瞰し客観視する感覚になります。これは、より高い視座から自分を俯瞰的に客観視するメタ認知につながります。

ふわっと速読の観点でいうと、英語と向き合ったとき、自分自身に湧いてくるイメージや理解の感覚をより高いところから客観視できるということです。

逆に、近視眼的に自分自身と向き合うと、ちょっと理解できない部分があった自分や、英語に苦手意識を感じている自分に囚われてしまい、折角湧こうとしているイメージに気がつきにくくなる可能性があります。

物事と自分をより俯瞰的かつ、客観的に捉えるあり方や姿勢を日頃から大事にし、ふわっと速読のトレーニングや英語にも向き合いましょう。

2. Comfort Zoneを超える・広げる

人間は、何かに慣れ親しむと、その心地よく感じる領域(Comfort Zone:コンフォート・ゾーン)から抜け出すのが億劫に感じたり、不安に感じたりします。

ふわっと速読においてもそうです。左脳モードできっちり理解する長年のクセがしみついていると、右脳モードのふわっとした「イメージでの理解」「ざっくりした理解」が物足りなく違和感を感じたり、理解した気にならなかったりすることも多いです。それは、ごく自然な感覚だと思います。

ただ、その場合でも、自分の殻を破り、右脳モードのざっくりした理解に飛び込んで慣れる勇気を持って、トレーニングに臨んでいただきたいです。

次第に、一語一句見てその意味を一生懸命考えながら力んで疲れる読み方よりも、リラックスしてイメージが浮かんでくる読み方のほうが、はるかにラクで人間の本質に則った読み方であると感じるようになるでしょう。

このことは、速読や英語と向き合うスタンスに限りません。

何事に対しても自分自身を変えてブレイクスルーしたい場合には、このコンフォート・ゾーンから飛び出すちょっとした勇気が必要です。そのことがコンフォート・ゾーン自体を大きくし、自分自身の幅や可能性を広げるのです。

自分の考え方次第で、自分を変えることができます。

ふわっと速読を継続するにあたっては、そうした自分自身のあり方も大事にしていただければと思います。

3. 笑顔でリラックス＆Well-Being

笑顔や笑いにはリラックス効果や脳を幸せにする効果があるといわれています。極度に緊張すると左脳モードになりがちなので、これは、右脳モードにするための重要なポイントです。

私は、米国のAATH（Association for Applied and Therapeutic Humor：ユーモアセラピー協会）という団体のHumor Academy（ユーモアの学校）で、ネイティブに混じって、ユーモアや笑いの効用を学んでいます。

「ユーモア」（humor）とは、ジョークを言ったりコメディアンのようにfunnyになったりすることではなく、日常の中に何かfunny

なことを見つける認知的知覚です。

そして、ユーモアとその身体的な挙動である「笑い」（laughter）は、相互に影響し合って、

- **自分や相手の人生を幸せ&豊かにする**
- **人間のポテンシャルをより発揮する（創造力、コミュニケーション力、記憶力など）**
- **個人や組織の生産性を上げる**
- **病気の改善やwellness（心と体の健康）を高める**

などの効果があるとの科学的な研究もされています。

したがって、Max Readingの「やり方」のベースになっているMax Being（自分自身の「あり方」の最大化）にも大きく関係します。

笑顔は、リラックス効果とも相まって、脳をより右脳モードにし、速読に有効なイメージ力を上げる効果もあります。

多くの方が、英語というだけで、体に力が入って構えてしまいがちです。日常においても、こわばった真顔で何かに取り組み、力んでしまうことも多いのではないでしょうか。

そこで、英語や本と向き合うときだけでなく、日常的にも、鏡を見るなどして、口角を上げて、意識的に笑顔を作ってみることをおすすめします。作り笑顔であっても脳は次第にハッピーな状態だと勘違いしてセロトニンやオキシトシンといった、いわゆる“幸せホルモン”を分泌します。

セロトニンは、心と体の健康のベースになるホルモン、オキシト

シンは愛情や人との関係によりストレスや不安を軽減するホルモンです。

そして、日頃から日常において何か面白いことを見つけたり、物事のポジティブ面も見たり、感謝することを心がけたり、そうしたことを書き記す日記をつけたりすることもおすすめします。

肉体的、精神的そして社会的に全て満たされた状態とされるウェルビーイング（Well-Being）が促進されるでしょう。

そして、これらを継続すると、ふわっと速読においては、自然に「リラックスして満たされた右脳モード」になるため、イメージ理解がしやすくなるのです。

4. マインドフルネスと禅の調身・調息・調心

ふわっと速読は、呼吸と向き合って深呼吸をし、「右脳の理解」が自然に働きやすくなるリラックスモードに入った状態で行います。

これは呼吸法のパートで述べたように、マインドフルネスと通じる部分があります。マインドフルネスは、「今この瞬間」に意識を向け、不安やストレスから解放され集中力が高まった心の状態のこと。その状態にするための方法として、マインドフルネス瞑想が経営者やビジネスパーソンの間で流行り、企業研修として導入されています。

なぜ、マインドフルネスが注目されているのでしょうか？

それは、企業や個人が、企業経営や人材開発において、従業員個人の心の問題を解決したり、そのポテンシャルを発揮したりし、生産性やパフォーマンスを上げたいと思っているからだと思います。

そこでマインドフルネス瞑想をして、脳内から雑念や不安を追い払い、脳の状態をよくするのです。そうすると、今この瞬間（英語速読の場合は、英語と向き合っている自分）に、リラックスした自然体の状態で集中でき、英語にも向き合えるようになるのです。

禅の教えに**「調身(ちょうしん)」「調息(ちょうそく)」「調心(ちょうしん)」**という言葉があります。

私は2015年より「朝坐禅」に参加していたのですが、企画者の住職の方から教えていただき、この言葉は英語速読と通じるものがあるとピンと来ました。

これは読んで字のごとく、「体を整える（調身）」「呼吸を整える（調息）」「心を整える（調心）」ということです。体（身体）、呼吸、心（精神）の3つは相互に密接に関わっており、基本的に体（姿勢）を整え、呼吸を整えれば、精神（心や脳）も整うという「自分自身を整える坐禅の修行における根本的なあり方」を表しています。

そして、このことは、ふわっと速読における自分自身のあり方と親和性があります。

まず、禅の調身では姿勢を大事にしており、坐禅に入る前に両足を組み、「半眼」といって目を半分くらいつぶって少し先を眺め、体の力を抜いて姿勢を正します。姿勢をよくすることによって、よい修行ができるといわれています。これはふわっと速読において、68ページで説明した基本姿勢が大事ということに通じます。

また、調身は、基本姿勢において体のリラックスが大事ということにも通じます。英語と向き合うときに、構えている状態だと体が硬直し、呼吸が浅くなって脳も整いにくくなります。したがって、全ての体の力を抜いて英語と向き合うことが大事で、体のストレッチをトレーニングに含めている意味はここにあります。また、目に力が入ると一点集中になり、目も疲れ、目からの入力に悪影響があるので、調身は、目をほぐす眼筋トレーニングの重要性も物語っています。

禅の調息は、ふわっと速読ではまさに呼吸法です。そして、調身と調息が伴って調心に至ります。調心は、英語でいうmind（脳を含む）なので、ふわっと速読においては、右脳モードでラクにイメージで理解できるようになるということです。

こうした禅の教えのベースにある「あり方」を知ることによって、それに通ずるふわっと速読のやり方が腑に落ちるのではないでしょうか。

5. 自己効力感と自己肯定感

自己効力感は、自分ならできるはずと思える感情、自己肯定感は、全てのありのままの自分を受け入れて、自分は価値ある存在だと無条件に認める感情です。

これは速読や英語に限りませんが、自己効力感が低いと「自分にはできない」という感情が湧いてきやすいですし、自己肯定感が低いと「自分には価値がない」と思いがちです。

ちょっとしたことで、こうしたネガティブ感情が湧いて強くなると、過去のいろんな失敗経験からのトラウマや英語の苦手意識に囚われて、本来できるはずの速読や英語ができにくくなってしまうことがあります。

そこで、**「自分はできる」「自分は価値ある存在だ」というポジティブ思考でバランスをとって、トレーニングに臨むことが大事**になります。自己効力感や自己肯定感における自分自身のあり方やそれらを高める方法は、他の専門書やウェブページに記載されているので、そちらも調べて読んでみて、日頃から実践することをおすすめします。といっても、自己効力感や自己肯定感の低い人は「そんなの無理」と思うかもしれません。

では、ふわっと速読において、どのようにこの自己効力感や自己肯定感と向き合っていったらいいのでしょうか？

まず、速読を妨げているのは、単に自分の目や脳の使い方のクセで、いずれクセはとれます。**クセをとるにあたり「自分や自分の脳はできるはず！」と自己暗示のように自分を信じていただきたいです。**

そして、「ふわっと速読」では、“いい加減”が“いい”加減なので、「100％理解しなくてもいいんだ」「大体の理解でいいんだ」という感覚で、気楽にトレーニングに臨んでください。

そして、過度な期待を持たずに、ちょっとした小さな変化や成長を楽しむスタンスで臨みましょう。

WPMの数字の変化だけでなく、ちょっとした感覚の変化も感じてみてください。そうすることで、ネガティブな面だけでなくポジティブな面にも目を向けることができ、ありのまま自分を受け入れられるようになってくるでしょう。

Max Readingの受講生の中には、トレーニングをすることで、速読や英語に限らず、人生において大切なことを学んだという方もいらっしゃいます。

以上、長くなりましたが、

①俯瞰とメタ認知
②Comfort Zoneを超える・広げる
③笑顔でリラックス＆Well-Being
④マインドフルネスと禅の調身・調息・調心
⑤自己効力感と自己肯定感

の５点は、ふわっと速読の効果をさらに高めるだけでなく、皆さんの人間としてのあり方や生き方にとってもとても重要なポイントなので、心に留めておいていただきたいです。

こんなときどうしたら？
ふわっと速読 Q&A

Q1. 効果が出なかったけれど、なぜ？

トレーニングをしたけれど、WPMの数値が上がらなかったという方がいます。

その理由としてまず考えられるのは、**遅く読むような長年のクセが強すぎて、トレーニング後の最終計測のときに十分にクセがとれなかったということ**です。

遅くなるような読み方のクセとしては、

- **一字一句目で追う**
- **一字一句和訳する**
- **一字一句音読する**
- **一字一句きっちり理解しようとする**
- **知らない単語や熟語で止まる**
- **返り読みをする**

などがあり、それぞれが複合的に絡まっている場合も少なくありません。

そして、読むときのクセやその強さは人によって様々です。

1回の一連のトレーニングだけで瞬間風速的にクセが大幅にとれる例もありますが、少しずつしかとれない、もしくは時間がかかることのほうが多いでしょう。

特に、表音文字の英語では、頭の中で1単語ずつ音読するクセを解消するのは難しく、そもそも100%の解消はできないともいわれています。

速読ができる人でも、ところどころ音読が残るのです。

したがって、「まだ頭の中の音読が残っている」ことに囚われるのではなく、脳内音読の割合が「最初より減った」「前回より減った」と一歩一歩の小さな成長を感じながら、継続することが大事です。

ちなみに、頭の中の音読がすべて悪いわけではありません。

脳内音読や実際の音読は、記憶の定着を助けるといわれています。

例えば、見聞きしたことがない人の名前が出てきたときに、全く発音をしないで字面だけ見ても、その名前はなかなか覚えられないし、その名前を音で覚えられることは通常ありません。

その名前が出てくるたびに、「この名前は誰だっけ？」と止まってしまいがちです。

これは日本語でもありますが、母国語でない英語の場合は特に難しいです。

そこで、**最初の3〜4回ぐらいは頭の中で音読をして、見た目だけでなく音でも覚えると、その後は見ただけで実際に発音をしなくても、スムーズに読みやすくなります。**

アルファベットの羅列という視覚の記憶に、発音という聴覚の記憶が結びつくことで、その文字を見るだけで音のイメージが湧くようになるからです。

これは、文章中のキーワードにも使えます。

キーワードを頭の中で音読しておくと、読み終わったあとで振り返ったときにキーワードを中心とした文脈や重要な内容を思い出しやすくなり、概要をまとめたり、整理したりするのに役立ちます。

このように、頭の中の音読が絶対ダメということはなく、メリットもあります。

「音読のクセが少しずつ減っていけばOK」くらいに受け止めてトレーニングを続けることが大事なのです。

もう1つ大きな要因として考えられるのは、特に英語に向き合って読むときに、

- **英語や「読む」ことへの苦手意識**
- **きっちり読まなきゃという意識**
- **「チャンキング練習と同じように目線を動かそう」とする意識**
- **計測で結果を出したいというプレッシャーや焦り**

などの過度の緊張が知らず知らずに残り「右脳の理解」が働きにくい状態になったことです。

計測時に読むときには、基本姿勢のまま、何も意識したり頭で考えたりせずに、リラックスして本や英語と向き合って、何気なく気楽に読むことが大事です。

こちらも、WPM計測する前のリラックス・ルーティーンのみならず、日常的にストレッチ（体のリラックス）、呼吸法（心や脳のリラックス）、各種チャンキング（無意識のリラックス）などのトレーニングを気楽かつ気長に継続することが、結果として、より早く効果が出ることにつながります。

また、きっちり読まなきゃという意識は、理解度が下がることへ

の恐怖や不安から生まれることがあります。

左脳の理解から右脳の理解に慣れる過程においては、その殻を破って、**理解度が5〜6割程度に下がっても構わない（＝いい加減が“いい”加減）という勇気が必要です。**そのことで目と脳が徐々にスピードに慣れ、コンフォート・ゾーンが広がり、右脳の理解が心地よく感じられるようになります。

これは、スキーにおけるボーゲンと直滑降に似ています。

最初はスピードが怖いのでスキー板を雪面に対して斜めにしてスピードを押し殺すボーゲンばかりにしがちですが、それでも、へっぴり腰になってスピードに慣れません。

それに対し、直滑降をすると、最初は怖くて転んだりしますが、徐々にスピードに慣れてきます。幸いにも、ふわっと速読で“直滑降”をしても生命のリスクはないので、勇気と確信を持っていい加減が“いい”加減を実践しましょう。

さらに、疲労、体調や目の調子によっても、結果は変わってきます。トレーニングは、無理して行わず、自分のいい状態のときに行うことが大切です。

このように、いろんな要因で、１回１回の効果の出方は違ってきますので、１回のトレーニングで一喜一憂せずに気軽にトレーニングを継続していきましょう。

Q2. スラッシュリーディングはしてもいいの？

ふわっと速読のトレーニングで効果が出にくい人の中には、スラッシュリーディングをしないとうまく読めないという人もいます。

結論から申し上げると、**ふわっと速読ではスラッシュリーディングから卒業することをおすすめしています。**その理由を次からお伝えします。

スラッシュリーディングは「区切り読み」ともいうように、意味のカタマリごとに、鉛筆などでスラッシュ（／）を入れて読んでいく方法です。

これは、中高生向けの塾で採用していたり、「スラッシュリーディングで速読」と謳っているところもあったりします。

確かに、「どう意味をとっていいかわからない」「頭から読み進めても意味が入ってこない」「英文の構造や英文法がわからない」という人には有効な部分もあるかもしれません。

英文にスラッシュを引きながら、カタマリごとの意味を考えてつなぎ合わせていくと、英語の語順で読んでも理解しやすくなり、全くわからないときと比べてより速く読めるようになると言えます。

しかし、**問題は、実際に鉛筆などでスラッシュを引かないと読めないクセがつくことがあり、それ以上に速くなりにくいこと**です。

また、カタマリごとに意味を取るのはいいのですが、一単語ずつ目線を動かして意味のカタマリを探して和訳し、それを文法に当てはめてきっちり理解する「左脳の理解」になっている方が多いです。

これもスムーズな目線移動、スピードアップやラクな理解の障害になります。

実際、スラッシュリーディングでの速読は、中高生などにWPM＝120（１秒間に２単語程度）を目指すことをすすめていますが、そのスピードでは、スラッシュごとで区切った意味のカタマリごとに読む「左脳の理解」から脱却できず、ふわっと速読が前提とするネイティブ並みのWPM＝200〜250からするとかなり遅読です。また、リスニングもネイティブが話すスピード（同じくWPM＝200〜250）に脳がついていきません。

ですから、スラッシュリーディングは実用的な英語力を身に付けるボトルネックになるのです。

スラッシュリーディングのクセがついてしまっている人は、それを解消することも含めて、ふわっと速読のトレーニングをすることをおすすめします。

Q3. 自分に合ったレベルや内容のテキストは、どうやって選べばいい？

速読のトレーニングであまり効果が出なかったという方に多いのが、テキストのレベルが適正でなかったということです。確かに、第二言語習得論では、「i＋1」（アイプラスワン。自分の英語力より少し難しめのもの）の英語に触れることで英語力が上がるとされています。ただ、じっくり精読や熟読するにはいいのですが、目と脳を感覚に慣らす速読トレーニングにはこのレベルは向いていません。

速読トレーニングには、「これだったら簡単に読める」という自分

の英語力より少しレベルの低い「i−1」(アイマイナスワン)の英語のテキストを選びます。

こういったお話をすると、「自分はもっと難しいものを読みたいんだ」「それでは、いつまでたっても自分の英語力より高い本を読めないんじゃないですか?」と聞かれることがあります。

しかし、スポーツでも勉強でも英語でも何でもそうですが、最初は基礎からスタートし、順次レベルアップしていきます。

速読も同じで、まずは目線の動かし方や脳の使い方を覚えることが先決なので、やさしめの英語の本で身に付け、速読の目と脳の使い方や感覚に慣れてからテキストをレベルアップしていきましょう。

最初から難しいテキストを選んでしまうと、どうしても「きっちり理解しよう」という意識が働いて、左脳モードで読むクセがなかなか取れず、スムーズに速読のスキルを習得できません。

他方、広い目線をスムーズに動かし、右脳モードで理解する目と脳の使い方をいったん身に付けると、仮に1割くらい知らない単語が出てきても、全体からラクにイメージが湧いて、読み進めることができます。

つまり、「i+1」の英語をラクに速く、しかもイメージで理解できるようになり、第二言語習得論に基づき、英語力アップをより効率的に図ることができます。

最初は是非「すらすら読める」「簡単に理解できる」英語テキストを選んでください。

それに加え、**自分が興味を持って読める内容、経験がある内容のものを選ぶのがおすすめ**です。

例えば、和訳を読んだことがある本、映画を見たことがある小説など、ある程度のストーリーを知っている本であれば、よりイメージが湧きやすいからです。

また、小説系、ビジネスや自己啓発といったノウハウ系など自分が興味のある分野・ジャンルの本や英語の文章があればおすすめです。

例えば、料理に興味がある人が、料理のレシピ本やレシピサイトの記事を読むのは、ワクワクして、イメージが湧くとともに、英語に触れるモチベーションにつながり、継続しやすいでしょう。

そのためにも、興味のある分野のテキストを選び、最初は簡単だと思うものから始め、慣れてきたら徐々にレベルアップしていくのがいいでしょう。

Q4. 速く読めたようで理解できない場合は、どうしたらいい?

「目線の動かし方はスムーズになった」「目線は速く動かせるようになった」でも「何が書いてあるか理解が十分ついていかない」という方がいます。私の主催するMax Readingのコースの受講者も、最初に多くの方がこの経験をします。

もし目線が「上滑り」している場合は、以下のどれかが当てはまっている可能性が高いです。

- **狭い目線で英語を追っている、または、目線移動が速すぎたり飛んだりして不安定なため、コンテンツを目で捉えられていない**

- **「速く読まなきゃ」「目線を動かさなきゃ」といった意識や英語・読むことへの苦手意識、雑念、焦りや緊張が強く、うまくコンテンツと向き合えていない**

そもそも速読というのは、目線を速く動かすことではありません。

視野を広く保ったまま、余裕を持って広い目線を動かすことで、情報がラクに入ってきて、結果として速く読めるのです。

まずは、ふわっと体の力を抜いて、脳や心もリラックスして、何も考えずに、「速く読まなきゃ」といった意識から自分を解放しましょう。そして、目の前の本や英語のコンテンツだけと向き合うのです。このとき大事なのが、「視野を広く保ち、ふわっと眺める」「広い目線を移動させる」こと。

スポーツなどと同様、ふわっと速読のトレーニングを継続していくと、英語との向き合い方や、速読に有効な広い目線移動に次第に慣れてきます。そのことを信じて、焦らずにトレーニングを継続していきましょう。

そしてリラックスや無心に加えて、「大体どんな内容のことが書いてあるのかな」といった気楽な感じでコンテンツと向き合いましょう。

「左脳の理解」に慣れていると、ふわっとしたイメージの「右脳の理解」に慣れる過程で、中途半端だという違和感を感じることがあります。しかし、**練習を繰り返して「右脳の理解」の感覚に慣れてくると、ラクに瞬間的にイメージが湧いて脳の処理速度が追いついてきます。**

また、「眺めても、英語が模様にしか見えない。だから何が書いてあるか理解できない」という方も、ときどきいらっしゃいます。これは、実際に読むときに「広く景色のように眺めるだけ」で、意味のカタマリで構成される英語のコンテンツに向き合えていないのが原因です。

この場合も、広く眺める感覚をもちながらも、「大体どんな感じのことが書かれているのかな」という気持ちで、コンテンツに向き合ってみましょう。

広い意味のカタマリが見えてきて、そのカタマリごとに、ラクに意味のイメージが湧いてきやすくなります。

焦らず練習すればその感覚が少しずつつかめますし、慣れればラクに英語が入ってくるようになり「この読み方のほうがラクでいいな」という状態に達します。是非練習を続けてみてください。

Q5.「きっちり読む」から抜け出せない場合の対処法はある?

何回練習を重ねても、「きっちり読む」読み方から抜け出せないという人もいるでしょう。

そのような方には、こういうお話をしています。

例えば、弁護士などが契約書をチェックするときやビジネスパーソンが重要なビジネス条件の文書を読むときは、基本的にきっちり読む必要があります。

でも、初めから一字一句きっちりゆっくり読んでいたらどうでしょう?

木を見て森を見ずになって全体像がわかりにくくなりがちですし、

時間をかけて最後まで読み終わったときには、最初に読んだことを忘れてしまって、行きつ戻りつすることもあります。

結局、さらに時間がかかってしまい、かえって非効率ではないでしょうか?

そこで、**きっちり読みたいという場合も、1回目はザーッと読んで全体像や概要をある程度つかめばいいとします。**

その上で、2回目はその概要を振り返りながら、自分にとって重要なところを中心に読んでいくと、さらに内容の理解が深まって記憶もより定着し、時間面でも効率がいいのです。

特にノウハウ本や論文などの場合は、そのすべてが自分にとって重要というわけではないでしょう。

まずはザーッと大まかなあらすじや概要をつかむ程度の読み方をし、2回目以降は自分にとって必要でないところや既にわかっていることはサーッと読み流して、必要なところを中心に読むのです。

「木(単語)を見て森(全体)を見ず」では内容がわかりにくい

きっちり読みたいという気持ちがあっても、最初から一字一句きっちり読まないほうがかえっていいということを、まず肝に銘じるといいでしょう。

そして、「気楽に何回でも読めばいいんだ」と思うほうがよりリラックスし、よりイメージが湧いて高速で読める上、理解力も上がるので、自信につながります。

Q6. リラックスのトレーニングって必要？

「なぜリラックスのトレーニングが、速読トレーニングの中に入っているのか」「リラックスするだけなら、トレーニングしなくてもできるよ」というお声もたまにいただきます。

しかし、頭ではわかっていても、実際にリラックスするのはなかなか難しいものです。

前述したように、忙しい経営者やビジネスパーソンもリラックスするために瞑想しています。

特に英語に関しては、無意識のうちに構えてしまう方が多いので、最初はトレーニングをしてリラックスするコツや感覚をつかんでみてください。

実は、私は水泳が苦手で、いざ水の中に入ると体に力が入って、うまく泳げません。

小学生のときに友達にプールの深いところに落とされて、足がつかなくて溺れてしまった経験がトラウマになっているようです。頭では「体の力を抜くことが大事」とわかっていますが、実際にはできずに、溺れたようにもがいて、どんどん沈んでいくんです（笑）。

私が泳げるようになるためには、水泳のコーチから習い、水の中で力を抜くことから、順を追って習得しないと難しいでしょう。

英語や英語を読むことの苦手意識が、無意識に刷り込まれている場合も同じです。

そこで、英語速読のトレーニングに、リラックストレーニングを組み入れたところ、多くの受講生から好評を得ました。

マインドフルネスなどの瞑想、禅、ヨガなどと同じです。「そんなことわかっている」と思っても、是非、実践してみてください。その効果を徐々に実感できると思います。

Q7. そもそもの英語力がないと思うが、どうしたらいい？

ふわっと速読のトレーニングをするには、中学英語くらいの基礎的な力はあったほうが望ましいです。

英文を読むことがベースになるので、挨拶英語だけでなく、やさしい内容のやさしい英文を何とか理解できるだけの最低限の語彙力や文法力はあったほうがいいでしょう。

もう忘れてしまった部分もあるかもしれませんが、中学や高校時代に習った英語は、実用的な英語力アップの土台になります。

だからといって、「まずは単語から」とか「中学英語の文法を総ざらい」といった勉強法はおすすめしていません。

こうした勉強法は学校のテストや受験などには向きますが、社会人で「英会話ができるようになる」といった実践力アップを目指している場合には、あまり役に立たないからです。

それよりも、自分の英語力に合った**実用的な英文に沢山接するこ**

とをおすすめしています。

英文は語彙や文法から構成されているので、沢山の英文を覚えることで、語彙や文法が自然に身に付き、英文として口からも出やすくなり、結局は英語力アップの早道になります。

その意味で私がおすすめしているのは、**NHKのラジオ英語講座**です。私が知る限り、最もコスパの高い英語教材だと言えます。

この中には、小学5年生から中高生、社会人までを対象にしたいろんなレベル別、目的別の講座があるので、自分に合った講座から始めるといいでしょう。英語の基礎力がまだないと思う方は、中学1～2年生向けの講座（2023年時点で「中学生の基礎英語レベル1」）から始めてもいいと思います。

「レベル1なんて簡単すぎるんじゃないか」「社会人がそこから始めるのは恥ずかしい」と思うかもしれませんが、意外にも「This is a pen.」のような非現実的な文法のためのような例文はなく、実用的な英語を学べます。

特にこの講座をおすすめする理由は、全体にストーリーがあり、毎回あるシーンが設定されていて、スキット（寸劇）になっていることです。

テキストが会話で構成されているので、実際の生活にとても役立ちます。今のネイティブが日常生活で普通に使うくだけた言い方が出てくることもあります。すぐに使える英語を沢山インプットできます。

NHKのラジオ講座は、せいぜい1回15分、週5回で、ネット上で自分の好きな時間帯に聞けるので、是非試してみてください。

単語や文法は「習うより慣れよ」です。スキットの中で出てくる英文に接して覚えることで、「この単語はこういう意味でこういう使い方をされるのか」「語順（文法）ってこんな感じか」と肌感覚で感じとればいいのです。結果的には、そのほうが「使える単語」「使える文法」となり、英語が身に付いていきます。

Q8. 難しい本は読まなくていいの？

ふわっと速読のトレーニングでは、自分の英語力より少しやさしめの英語の本を使うことをおすすめしています。

目と脳の使い方のコツと感覚に慣れるためには、やさしめの本のほうがスキル習得上、有効だからです。

すると、「いつまでも簡単な本ばかり読んでいたら、レベルアップしていかないのでは？」という疑問が生まれてくるのではないでしょうか？

確かに自分のわかりきった範囲内のものしか読んでいないと、インプットやアウトプットができる英語の幅が広がっていきません。

英会話レッスンを続けているのに、なかなか自己紹介の英語から抜け出せない方が少なくないというのが、その一例です。

そこで、Q3でも説明した通り、「第二言語習得論」では、「理解可能なインプット」が大事という前提で、自分のレベルより少し上のインプットを行う「i+1（アイプラスワン)」が有効な学習法だとされています。

「i」というのは「学習者の現在の言語習得レベル」のことで、それに「+1」をする、つまり「現在より少し上の言語習得レベル」ということです。

理解が困難な「i+2」や「i+3」ではなく、理解可能な「i+1」くらいがちょうどよく、自然に言語を習得していきやすいということです。

したがって、やさしめの英語の本、いわば「i−1」(アイマイナスワン)の本で、ある程度速読ができるようになったら、少しレベルの高い「i+1」の英語の本でふわっと速読のトレーニングをし、日常的にも「i+1」の本を読むことをおすすめします。

一語一句読むクセのあるときは、知らない単語で止まったり、返り読みをしたり、きっちり読まなきゃと疲れがちですが、トレーニングを進めるにつれて「i+1」程度の少しレベルの高い本でも、これまでよりラクに読めるようになるでしょう。

この「i+1」の英語の本やテキストを選ぶ際にも、自分が興味を持てる内容、自分にバックグラウンド(経験や知識)がある程度ある内容のほうがいいのは、速読トレーニング用の「i−1」の本を選ぶときと同様です。

自分の興味やバックグラウンドのある内容であれば、そこからイメージが湧きやすく、新たな表現をイメージとともに覚えることができ、実用的な英語力アップにつながりやすいからです。

そして、多少難しくても理解できる内容であり、それが自分の好きなジャンルのものであれば、脳がワクワクしながら読み続けられます。

もし、１回で仮に５割くらいしか理解できなかったとしても、大丈夫です。１回で100％理解しようなどと思わず、２回、３回と繰り返し読めばいいんだと気楽に向き合ってください。

実際、繰り返し読むことでインプットが確固たるものとなり、それがアウトプットにつながりやすくなります。

column ❶

「知っていますか？　単語の効果的な覚え方」

英語といえば「まずは単語を覚えなければ始まらない」と、単語帳や単語アプリなどを使って、ひたすら英単語を覚えている方が意外と多いですよね？

ただ、単語帳で単語とその日本語の意味だけをひたすら覚えるだけの方法はおすすめできません。それより、その単語を含む英語表現や英文を丸ごと覚えることで、語彙を増やすほうが効果的です。

なぜなら、1つひとつの英単語としての日本語の意味や文法がわかっていても、単語が組み合わさった表現や英文の意味がわからないことが往々にしてあるからです。単語は、文の中での使われ方や使われる状況や文脈の中で意味を有するのです。

英語を話すときもしかりです。単語帳でひたすら覚えてきた人は、言いたい日本語の文がまず頭に浮かび、その意味を1つひとつの英単語に直訳し、文法に当てはめて英文を組み立てようとするので、適切な英文がすぐに出てきません。それに対し、文や表現ごと覚える方法は、話すときに状況や文脈に合った意味のカタマリごとの表現や英文が出てきやすいです。

例えば、初めて会った人と話をしている状況において、What do you do (for a living)? と聞かれることがあります。それを、1つひとつの単語ごとに「あなたは（住むことのために）何をしますか?」と直訳してもピンと来ません。この場合、文のカタマリごと、「どんな仕事をしていますか?」と職業を尋ねるときの表現だと覚えておけばいいのです。そうすれば、そのような状況のときに、この表現がすぐに浮かんできます。

「考えなくても自然に言葉が出てくるようになる」ことを目指している人こそ、単語だけを沢山覚えるよりも、その単語が使われている英語表現や英文、使われる状況や文脈と一緒にイメージしながら覚えるほうがはるかに効率的です。実用的な本物の英語力を身に付けられます。

第3章

英会話力が劇的に伸びる！ 3つのトレーニング

ふわっと速読との相乗効果で、
スピーキング・リスニング力が上がる

なぜ、日本人は英会話が苦手なのか？

英語力の中でも皆さんが実際に身に付けたいのは、外国人と普通に話せる「英会話力」ではないでしょうか？

しかし、日本人の英語コンプレックスの中で多いのが、「外国人の話す英語が聞き取れない」「言いたいことが出てこない」です。つまり、リスニング力とスピーキング力が弱いと感じているのです。

リスニングとは、「耳から入ってきた内容」を「脳で理解する」ことです。リスニング力が弱いのは、相手の発する音が聞き取れないということもありますが、**実は、脳での理解が追いつかないという要因のほうが大きいです。**

出だしは聞き取れていたのに、途中で知らない単語やわからない部分が出てくると、その部分に意識が集中して脳処理ができなくなってしまい、その後は全く聞き取れなくなる…というケースは、この最たる例と言えます。

そのため、一語一句をきちんと聞き取って理解しようとする左脳モードでは、大量の英語を聞いたとしても、リスニング力の向上には、なかなかつながりにくいのです。

しかし、ここまでふわっと速読のトレーニングをしてきた皆さんの脳は、既に右脳モードにある程度変わっているはず。脳に入った情報を、感覚的にイメージで理解しやすくなっているでしょう。耳から入った情報も同じように右脳モードで、ピンと来て理解しやすくなるのです。

知らない単語やフレーズが少しくらい出てきても、多くの知っている単語からなる「意味のカタマリ」や「全体の文」から、無意識に推測して理解しようとするので、途中で脳処理が止まることなく、相手の言いたいことの概要や要点を捉えられます。

日本語の会話でも、大きな流れの中のおおよその全体像や要所の理解で話が成り立っていることが多くないでしょうか？

英会話の場合も、これと同じ。いい意味での「いい加減さ」「曖昧さ」が重要です。

「ちゃんと話さなきゃ」が、会話の足かせになる

スピーキングについても同様です。多くの日本人は苦手意識が強いために、英語を話すというだけでとても緊張して、左脳モードになってしまいがちです。「間違って恥ずかしい思いをしたらどうしよう」という意識に脳が囚われてしまうのです。

そして、「どの単語を使うんだっけ」とか「ちゃんとした文法でしゃべらなきゃ」と頭の中で考えて、浮かんだ日本語を一生懸命、正しい英語に変換しようとします。学校英語が得意だった方ほど完璧主義に陥ることもあります。そうなると、なかなか自然に言葉が出てきません。

しかし、**私たちは母国語である日本語も、全て正しい文法でしゃべっているわけではありません。**話し言葉では、主語と述語が合っていなかったり、「てにをは」が抜けていたり、文がつながっているようでつながっていなかったり…ということがよくあります。

英語のネイティブも同じです。文法を気にして話している人はいませんし、文法が守られていないことも多々あります。それでも、お互いに理解し合っているのです。

したがって、私たち日本人が文法どおりに英語をしゃべれなかったからといって、全く伝わらないことはないですし、「伝わらないかも…」と心配する必要もありません。**むしろ、心配しすぎることが、スムーズな会話を阻害します。**そして、気軽な英会話の場合は、伝わりにくい部分があっても、相手が意図や意味を聞き返してくれることもあるのです。

英語が完璧に話せなくても、わかり合えた経験

私がリクルート社に勤めているときに、こんなことがありました。

同僚のITの技術者と一緒に、アメリカに出張したときのことです。

その彼は、英語自体は片言でしたが、仕事の打ち合わせでは技術用語を並べるだけでアメリカ人の技術者とお互いにわかり合い、話が弾んでいたのです。

逆に私は、彼に通訳してあげる立場でしたが、専門的な詳細がわからず、ピンと来ないところもあったので、「相手は○○という表現を使い、□□と説明していますが、意味がわかりますか？」と彼に確認する始末。これはバックグラウンドを共有していれば、単語だけでもわかり合えるが、そうでないと英語自体の音は聞き取れていても、理解があやふやになるということです。

この経験は、逆に「英語がちゃんとしゃべれないから」と引っ込んでしまうのではなく、**「知っている単語で何とかしよう」と話すことで、コミュニケーションがとれる**ということの裏返しです。

このように、話すときも英語だからと構えず、まずはリラックスして、右脳モードになることが大事です。そして、臆病になるのではなく「言いたいことが伝わればいいや」くらいの気楽な気持ちでいましょう。すると、頭に浮かんできた言いたいことを英語に訳すのではなく、おおよそのイメージでポンと口から出やすくなります。

ただ、そのためには、前述したように「少量・適量のアウトプット」練習も必要です。

「和訳しないで話せるようになる」練習

本章でこれから紹介するトレーニングは、「リスニング力」「スピーキング力」を上げるトレーニングです。そして、このトレーニングは、いわゆる「英語脳」を作るのにも、とても効果的です。

これまでの話と重なるところもありますが、今一度「英語脳」について、インプット・アウトプットの両面から整理してみましょう。

既にお話ししたとおり、インプットにおける英語脳とは**「日本語を介さずに、英語から直接意味をイメージする脳の使い方」**です。

それに対し、**アウトプットにおける英語脳とは「伝えたいことに関する自分の脳内イメージから、日本語を介さず、直接英語が出てくる脳の使い方」です。**

どちらにも共通しているのが「イメージ」という言葉です。

英語をイメージで理解できるようになると、そのイメージから英文が直接出てきやすくなり、インプットもアウトプットも非常にラクに速くなります。

第１章でもお伝えしましたが、人間は経験や知識などの記憶からイメージが湧き、そのイメージを使って物事を理解しています。

日本語では自然にそれができているので、私たちは単語や文法を意識せずに直接のイメージから日本語を理解でき、話すときも自分の脳内のイメージから、文法などを考えずに言葉を発することができるのです。英語脳を作るとは、英語でもこの状態になるということです。

第２章では、「見た」英語を自分自身の経験や知識と瞬間的につなげ（ピンと来て）、イメージを通じて、無意識・感覚的にインプットできるようにするトレーニングを行いました。

そして、ここからは、**イメージで取り入れる「聞く」インプット、イメージから伝えたい内容を「話す」アウトプットの練習を同時に行います。**

本章のトレーニングと第２章の「ふわっと速読」トレーニングを繰り返すと、英語のインプットとアウトプットが日本語を介すのではなく、イメージを介してつながるようになるはずです。

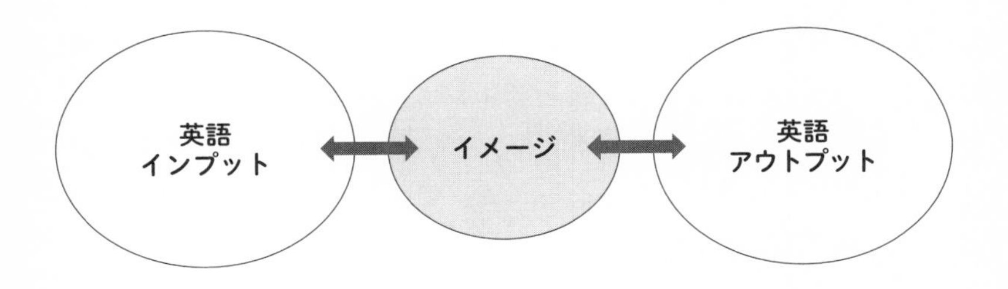

こうして英語脳が作られれば、日本語を介さずにイメージで理解できるので、英語での会話や読書、動画の視聴などが非常に効率的になるでしょう。皆さんが身に付けたいと感じている「実践的な英語力」も伸びていきます。

音源付きの英語教材を準備

早速、次の項目から具体的なトレーニングに入っていきますが、その前に準備してほしいものがあります。

それは、CDやMP3などの音声付きの英語教材です。

基本的には、第2章の「ふわっと速読」のトレーニングで使用したテキストのCDやMP3付きのものを使うといいでしょう。同じ英語コンテンツで「速読」×「リスニング」「スピーキング」のトレーニングができるからです。ふわっと速読のトレーニングである程度の効果（WPM＝概ね150〜200以上、または当初の概ね1.5〜2倍以上）が出てから行うと、より速読との相乗効果が出やすいです。

以下の3つのトレーニングを、段階を踏んで行っていきます。

1　**聞き読みwith速聴（リスニング力アップに有効）**
2　**なりきりオーバーラッピング（スピーキング力アップに有効）**
3　**シャドーイング／リピーティング（英会話力アップに有効）**

まずは、リスニングのトレーニングである「聞き読み」から始めます。肩の力を抜いて気楽にやってみてください。

【ステップ1】
聞き読みwith速聴
――リスニング力アップに有効

「聞き読み」というのは、音声を聞きながら、同時にその文章を発音しないで目で追い、内容をある程度理解しながら見ていくというトレーニングです。

まずは、教材（テキスト）についている音声を普通に聞いてみて、自分の理解度を確認しましょう。5～6割程度の理解だった場合でも、素晴らしいです。既にあなたの脳は概要を理解できるくらい追いついています。それ未満の理解、もしくは全く理解できなかった場合も、心配しなくて構いません。次に、テキストを見ながらの「聞き読み」をしますので、そこで意味を確かめられます。

「聞き読み」では、通常、音声に合わせて単語1個1個を目で追っていく方がほとんどだと思いますが、そうではなく、**ふわっと速読のときのように広く俯瞰しながらテキストの英語と向き合って、広い目線をスムーズに移動させながら、英語を広くカタマリで捉える感覚で、おおよそ理解しながら見ていってください。**

すると、ふわっと速読のトレーニングで既に速読がある程度できるようになっているあなたは、1個1個の音より目線や脳が広く先に進もうとするので、音が多少ゆっくりに感じられます。

特に、ネイティブ並みのWPM＝200～250くらいの速さで読めるようになっていると、教材の音声は少しゆっくり（WPM＝120～180くらい）なことが多いので、遅いと感じるはずです。

聞き読みに慣れたら「速聴」にステップアップ

普通のスピードで聞き読みをして、遅いと感じた場合は、速聴にします。

具体的には、無料の速聴アプリ（「ハヤえもん」など）を利用して、音声速度を例えば1.2倍、1.5倍、2.0倍…などと段階的に上げて再生し、聞き読みを行います。それでも、ふわっと速読のトレーニングをしているあなたは、速い音の英語に目がついていき、「右脳の理解」で脳もある程度ついていきやすいと思います。そして、脳がついていっている状態で速聴し続けると、やがて、その速い音にも耳と脳（音を処理する脳）が次第に慣れてきます。

すると、ネイティブの話すスピードは速いと思っていたのが、「ラクにわかる気がする」「全然速いと感じない」となってくるのです。

なぜ、このようなことが起こるのでしょうか。それは、ふわっと速読を先に行っているおかげです。

ふわっと速読を先にしているため、脳が高速の右脳モードに慣れた状態になっています。その状態で速聴トレーニングをするので、脳と耳が速い音に慣れやすく、聞き読み効果が高くなるのです。

今はYouTubeでもネイティブの会話が沢山アップされているので、「ふわっと速読」とこの「聞き読みwith速聴」で慣れたあとに、試しに聞いてみてください。リスニング力が上がっていることが実感できるでしょう。

聞き読みにおいて「聞く」上で気をつけるべきことは、ふわっと速読で広く眺めたのと同様に、**「単語1個1個をきちんと聞きとろうとしない」ということ**です。速聴の場合も、英語を意味のカタマリで捉えることが大事です。

「カタマリで聞く」を意識する

「英語をカタマリで聞く」というのは、例えば「I work from home.」(私は在宅勤務です。)という短い文であれば、その文全体を1つの意味のカタマリとして捉えて聞くことです。

いちいち1単語ずつ「I」(「私は」)、「work」(「働く」)、「from」(「〜から」)、home(「家」)…の音を聞いて、各々の意味を組み合わせて英文全体の意味(「私は」「家」「から」「働く」)を考えたり、日本語に訳したりするのではなく、一連の英語全体の音(I work from home.)を聞いて意味をカタマリ(=「在宅勤務」のイメージ)としてポンと理解します。

日本語でも「ざい(在)」「たく(宅)」「きん(勤)」「む(務)」と分解して聞いて理解するのではなく、「ざいたくきんむ(在宅勤務)」全体の一連の音からイメージして理解していると思います。短い文の場合は、意味のカタマリを捉えやすいので、まずは、それに慣れていきましょう。

意味のカタマリで聞くポイント

は、アクセントの強弱、ちょっとした間（ま／ポーズ）、語尾の上げ下げといった英語のリズムやイントネーションを感じ取り、英語を理解する単位を聞き取ることです。前述の「I work from home.」の場合は、I（弱）work（強）from（弱）home（強）. の一連の「弱強弱強」の英語のリズム＋間（ポーズ）で意味のカタマリがわかります。

リスニングにおいては、一語一句の個別の細かい発音に囚われるよりも、この英語のリズムに慣れることが大事です。

リズムに慣れることで、意味のカタマリが聞き取れ、カタマリごとに「右脳モード」でラクに高速でイメージ理解ができるようになります。

特に、長い英文ほど、英語のリズムから、その長い文の全体構造の中での意味のカタマリがわかるはずです。こうなると、文全体の意味や文脈を捉えることがラクになります。

そして、ネイティブが英文を速く発音するときに複数の単語間で音を連結（リエゾン／リンキング）させたり、音を脱落（リダクション）させたりする音声変化にも慣れると、意味のカタマリを聞き取りやすくなります。

日本語と同じように「補って」理解できる

慣れないうちはわかりにくいかもしれませんが、英語を眺めながら聞き読みを続けて、英語の強弱のリズムや音声変化、間を「感じる」ように意識を向けてみてください。

次第に、目からの意味のカタマリと、耳からの意味のカタマリが一致し、意味のカタマリが聞き分けられるようになります。

そうなると、日本語と同じように、相手の話している一語一句を聞き取ろうとせず、何気なく聞きながら、相手の言いたいメッセージを理解できるようになります。多少、聞き取れない部分があったとしても、聞き取れている部分から想像で補って、概要の理解ができるようになるでしょう。

このように、ふわっと速読を行った上で聞き読みを実践すると、目と脳が先に進んで内容をカタマリでイメージ理解できるので、耳から入ってくるネイティブ英語がゆっくりに聞こえます。

さらに、速聴で聞き読みを行うと、耳→脳の理解もスピードに慣れてきます。

そして、目からの意味のカタマリと、耳から入ってくる意味のカタマリが合致するようになり、**「耳からの情報→右脳の理解」という回路もできてきます。**

こうして、ふわっと速読×聞き読みの相乗効果が存分に発揮されれば、ネイティブの話すスピードにも、自然についていけるようになるのです。

【ステップ2】
なりきりオーバーラッピング
——スピーキング力アップに有効

「聞き読みwith速聴」を行い、リスニングがある程度できるようになったら、次はスピーキングの練習です。ここでおすすめなのが、オーバーラッピング。

「オーバーラップ」は「重なり合う」という意味で、**「オーバーラッピング」とは、英語の教材を見ながら、英語の音声と同時に音読(発音)していくトレーニングです。**

これはリスニングとスピーキングを同時に鍛える方法として、現在多くの英語学習法でも取り入れられ、一般的になっています。

とはいえ、オーバーラッピングを実践すると、発音することのほうにより意識がいくので、現実的にはリスニングの効果は限定的です。また、リスニングであれば、「聞き読みwith速聴」のほうがより効果的でしょう。

したがって、**オーバーラッピングの効果は、スピーキングに対してのほうが大きいと言えます。**

オーバーラッピングでは、「口や舌を動かして、英語のリズムで発音することに慣れる練習」ができます。これが、スピーキングに対して大きな効果を発揮します。

スピーキングの苦手な人は、口や舌を動かして発音すること自体に慣れていません。先に述べたように、英語のリズムにより意味のカタマリがわかりやすくなるので、会話時は、正確に一語一語を発音するよりも、英語の強弱のアクセントやリズムがある程度正しいほうが、ネイティブに理解されやすいです。

したがって、流れてくる音声に合わせて実際に口や舌を動かし、音声の発音をある程度真似しながらも、リズムや抑揚を感じてそれに合わせながら音読します。こうすることにより、ネイティブらしい英語のリズムやイントネーションに近づいていきますし、センスのいい方は発音も次第にネイティブに近づいていきます。

⊙ オーバーラッピングに「なりきり」をプラス

さらに本書では、オーバーラッピングを行うだけでなく、「なりきる」ことを提案します。

「なりきる」というのは、「まるでその場にいるかのように情景や文脈をイメージしながら」ということと、「登場人物の気持ちやそのシーンにいるときの気持ちになって感情を込めて」音読するということです。

例えば、教材のスクリプトが小説のワンシーンだとしたら、登場人物の実際の話し言葉の部分は、その登場人物の気持ちになってまるで役者になって演じているかのように、情景描写の場面では、それを朗読家になって伝えるかのごとく音読するということです。

もし、ファーストフード店でオーダーしているシーンの会話を読むのなら、あたかも実際のお店にいるかのような気持ちで音読をするのです。

いきなりプロの役者や朗読家、アナウンサーのような表現力をもってやるのは難しいですが、大事なのは、彼らや登場人物になったつもりでイメージし感情を込めるということです。

こうした練習を繰り返していると、そのときのイメージや感情と一緒に、英文が自分の中に定着します。すると、**現実で同様の場面に遭遇したり、似たような気持ちになったりしたときに、言いたいことが右脳モードでイメージとしてポンと出てきやすくなるのです。**

逆に、ただ必死に発音を真似するだけの棒読み音読だと、イメージや感情と一緒にならず長期記憶に残りません。実際の会話の場面では、必死に単純記憶で思い出そうとする左脳モードになり、スムーズに口や脳から出てきにくいでしょう。

なりきりオーバーラッピングの練習法とポイント

「なりきりオーバーラッピング」では、英語のテキストを見ながら音声を聞き、文脈や情景をイメージしながら気持ちを込めて、音声と同時に音読していきます。これを何回も繰り返しましょう。

最初は、同時に音読や発音することに気をとられるかもしれませんが、大事なのは、まずは正確な発音そのものよりも、イメージしながら感情を込めて英語のリズムを真似ることです。何回も繰り返すことでイメージが鮮明に湧きやすくなり、また復習の効果によってイメージとして記憶が定着します。

さらに**「なりきりオーバーラッピング」では、「ふわっと速読」と同じく、リラックスして行うことも大事です。**それによって、自然に右脳モードになり、なりきりがよりうまくできます。

そうやって「なりきりオーバーラッピング」を繰り返していると、脳内で右脳モードとアウトプット（＝スピーキング）が結びつくので、実際に話すときにも、自然に右脳モードになれます。

こうして、自分の中の「こういうことを言いたい」というイメージが、自然に英語として出てくるようになります。

会話ではない文章でも、なりきり練習はできる!

ちなみに、小説やエッセイの登場人物の会話文ではない状況や事実、見聞きした情報、概念や理論、ロジックを伝える文章（時事ニュースや記事、自己啓発本などの内容、論説文など）でも「なりきりオーバーラッピング」は可能です。

例えば、「It's important to love yourself.」（自分自身のことを好きになることが大事です）という概念を説明した文でも、その概念の言葉がどのような場面（自己肯定感が低く、自分が嫌いになった友人や自分へ贈る言葉など）や文脈で使われうるかを考えると、その映像が頭の中に浮かんで、しっくりくると思います。

「なりきりオーバーラッピング」のときも、そういう風にイメージを湧かせながら、友人や自分を励ますつもりで、「It's important」（大事だよ）「to love yourself」（自分自身を好きになることはね）と、しみじみと声に出して言い続けます。

すると、実際にそのような概念や文脈を思い浮かべたとき、伝える状況になったときに、いちいち考えなくても「It's important to love yourself.」とスッと出てきたり、似た文脈で「It's important to respect yourself.」（自分自身を尊重することは大事だよ）などと出てくるようになったりします。

それを普通の文章だからといって、発音することだけに一生懸命になる棒読みをしていると、自分の中にイメージとして定着しにくいです。

すると、同様の文脈のことを言いたいときにも、「えーっと、なんて言うんだっけ…」となり、すっと英語が出てこないのです。

「なりきりオーバーラッピング」は、どんな文章であっても、それらが使われる情景、背景、文脈を、右脳モードで自分の経験と結びつけて脳内でありありとイメージしながら行うことが大事です。

繰り返し行うことによって、自然に日本語を介さずに、イメージから直接英語が出てくるようになるでしょう。

【ステップ3】
シャドーイング／リピーティング
——英会話力アップに有効

「なりきりオーバーラッピング」で情景を感じながら気持ちを込め、音声を真似て発音できるようになったら、次に、リスニング力とスピーキング力を同時に鍛えていくトレーニングに進みます。

まず「シャドーイング」を行い、それに慣れたら「リピーティング」にレベルアップしましょう。

どちらも英語の中級者以上向けです。初級者の方は無理をせず、しっかり「聞き読みwith速聴」や「なりきりオーバーラッピング」で十分に基礎固めをしてから、この段階のトレーニングに進みましょう。

シャドーイング、リピーティングとは？

シャドーイングは、テキストを見ずに音声を聞いて、ほぼ同時（1秒遅れぐらい）で追いかけながら復唱していく練習法です。つまり、「聞く」ことと「発音」することを同時に行います。

それに対して**リピーティングは、一文の音声を聞いたらそこで止めて、その一文を思い出しながら復唱します。**どちらもリスニング力が必要ですが、リピーティングは文全体を記憶して再現しなければならないので、一般的にはより難しいです。

どちらも一般的な英語学習法に取り入れられている、よくある練習法です。しかし、日本人はリスニングが苦手な人が多いので、「最初は“なんちゃってシャドーイング”でもいいから、徐々に慣れていきましょう」と指導しているところが多いのが現状です。もちろん、完璧にこだわるよりそのほうがよく、多少の時間はかかりますが、有効なやり方でしょう。

しかし、本書で練習してきた方は、ふわっと速読で右脳モードになるコツと感覚を覚え、「聞き読みwith速聴」で速い英語にも慣れてイメージが湧きやすくなっているので、 既にリスニング力が上がっているはず。

さらに、「なりきりオーバーラッピング」で、イメージしながらアウトプットを行う練習もしてきたので、シャドーイングの精度が上がり、よりラクにできると思います。

⊙ シャドーイングの練習法とポイント

テキストを見ずに、英語の音声を聞き取りながら、ほぼ同時（1秒遅れくらい）で復唱していきます。

まずは、既に「聞き読みwith速聴」「なりきりオーバーラッピング」で使用したテキストの音源（CDやMP3）を使うと、イメージを湧かせて瞬発的に発音するという感覚がつかみやすいでしょう。

より精度の高いシャドーイングができているはずと言っても、最初から完璧は難しいものです。でも、それでも問題ありません。瞬発力のトレーニングなので、ついていけないところがあっても、途中で止まらず、聞けている部分をすぐに発音して先に進みましょう。これを繰り返し行うことで上達していきます。

どうしても聞き取れない部分は、テキストを見ながら音読する「なりきりオーバーラッピング」に立ち返って練習し、そのあとに再びシャドーイングをしてみます。

慣れてきたら新しいテキストを使用し、まず一読して内容をイメージでつかみ、その映像をより鮮明にイメージしながら、シャドーイングしていくといいでしょう。

この場合も、「しっかり聞き取らなきゃ」とか「正確に発音しなきゃ」と構えず、気楽に続けます。聞こえてくる音声をリラックスして何気なく聞き真似するだけで、意味のイメージもある程度自然に湧いてくるでしょう。

上級者は、事前にテキストを見ず、いきなり音声を聞いてどんどんシャドーイングするクセをつけていくのもおすすめです。

シャドーイングに慣れてきたら、リピーティングに進みます。

⦊ リピーティングの練習法とポイント

テキストを見ずに、英語の音声を流し、一文ごとに音声を止め、それを復唱します。まずは、シャドーイングで使用したテキストの音源を使うことから始め、慣れてきたら新しいテキストやその音源を使っていくといいでしょう。

こちらは、一文をまるまる覚えなければならないので、特に長い文の場合は、かなり難易度が上がります。

そのときに必要なのが、イメージ力です。

ふわっと速読を練習してきた方は、右脳モードでイメージで理解するコツをつかんでいるはず。

リラックスして、何を言っていたかをイメージでつかむようにすると、そのイメージから「意味のカタマリ」や「文」が想起でき、全体の文が出やすくなります。

最初のうちは、復唱している途中で記憶が飛んだり、細かい単語が抜け落ちたりするかもしれません。

しかし、ふわっと速読で右脳モードになりやすくなっているので、上達も早いでしょう。

最初から完璧にできなくても構わないという気楽な気持ちで、リラックスして繰り返しトレーニングしてみてください。

リピーティングは、文脈やシーンに合った文を意味のカタマリごとにまるごと覚えるため、なりきりオーバーラッピング以上に、現実の場面でもその英文が出てきやすくなります。

つまり、**イメージしながらリピーティングができるということは、そのテキストと同程度の内容の英会話が不自由なくできるということ。**それは、英語がしゃべれるのとほぼ同じです。

英会話教室の効果的な使い方

「聞き読みwith速聴」「なりきりオーバーラッピング」「シャドーイング／リピーティング」の練習と並行して行いたいのが、リアルな英会話の練習です。

というのも、上記の3つは何らかの教材（本＋音源）を使っての繰り返しの練習なので、トレーニング効果は高いですが、実際に人と向き合って会話するというリアル性がありません。実際の会話では、想定外の返事が返ってきたり、想定外のことを聞かれたりするので、そうした応用力や瞬発力が求められます。

そこで、トレーニングの効果を確認するためにも、**オンライン英会話やリアルな英会話教室、ネイティブの友人らと英会話を楽しむなど、リアルなアウトプットの練習をするのがおすすめです。**

漠然と英会話レッスンに参加したり、英会話スクールに通ったりするだけでは、なかなか英会話力は伸びませんが、ふわっと速読や本章の練習と並行して行うことにより、相乗効果で大きく伸びていくはずです。

教室の時間を無駄にしない！ 予習と復習のポイント

英会話レッスンの効果を上げるためには、ただレッスンに臨むのではなく、**事前のインプットと、レッスンが終わったあとの復習を組み合わせることが必要**です。

具体的には、事前の「読む」インプット＋レッスンでの「聞く」

インプットと「話す」アウトプット＋「読む」「話す」などの復習のセットで行うことで、より効果が上がります。

効果的な英会話レッスンの流れ

事前のインプット

まずは、その日に先生と会話をするテーマを決めましょう。

そして、それについての英語の記事を読んで、ある程度の情報をインプットしておきます。

知らない単語は、全体の概要、情景や文脈からまずはイメージすると同時に、できれば辞書（英語力のある方は、できれば英英辞典やネット上で「●●● meaning」と検索）で、おおよその意味のイメージをつかんでおくといいでしょう。

こうしてレッスンに臨むと、自分が事前にインプットした情報をアウトプットする練習ができ、先生との会話も弾みやすくなるでしょう（教室によっては、あらかじめテーマが決まっていて、読んでおくべきテキストが用意されている場合があり、それもいいと思います）。

最初のうちは、ただ情報をインプットするだけでなく、ある内容について、自分は「こう言おう」「ああ言おう」と考えておいてもいいですね。ただし、きっちり英作文をするというより、イメージでざっくり考えておけばOKです。

アウトプットすることにだんだん慣れてくると、ただ情報をインプットするだけで、それが自然にレッスン中に出やすくなります。

復習

レッスンが終わったら、復習をします。

復習の方法はいろいろありますが、レッスン中に学んだ単語や言い回し、知らなかった表現などをメモしておき、それを見返すのがおすすめです。

オンライン英会話では、画面のスクリーンショットや、先生がチャットに書いてくれた内容を参照できる場合もあります。

見返すときに、その場の雰囲気や表現の使用場面を思い出しながら「なりきって」発音してみるのもよいでしょう。

そうすることで、英語を自分の中に落とし込んでいけるはずです。

学習効果が上がる！　教材の選び方

冒頭でもお話ししたとおり、本章の練習に使う教材としておすすめなのは、Amazonや書店で販売されている音声付きのテキスト本です。

第２章で「ふわっと速読」のテキストとしてご紹介したGraded Readers（グレイデッド・リーダーズ）は幅広く、CDやMP3付きのもの、音声ダウンロードができるものも多くあります。

その中から自分のレベルに合った興味のあるものを選ぶのがよいでしょう。ただ、時間の制約などから、自分の目的に特化した教材で、手っ取り早く英会話力を身に付けたいケースもあるはず。そういった場合に、適した教材の選び方をここから紹介します。

目的に合った教材を選ぼう

例えば、海外旅行で使える表現を真っ先に覚えたいという場合は、海外旅行者向けの表現を集めた音声付きの教材（参考書、アプリなど）を選び、１つひとつのシーンでなりきって練習します。

仕事で英語を使えるようになりたい、プレゼンで使えるようになりたいという場合は、ビジネス英語の表現を集めた音声付きの教材（参考書、アプリ）を選ぶといいでしょう。

スタディサプリのようなアプリには、日常英会話やビジネス英会話の各シーンに使える役立つ表現が満載です。自分に合ったシーンを選びやすい他、ドラマ仕立てでシーンもイメージしやすく、ディクテーション（音声を聞きながらの書き取り）やシャドーイングなどができる機能もついているので、継続しやすく、身に付けやすいと言えます。

いずれにしても、シーンをイメージしながら気持ちを込めて練習することが大事です。表現集として羅列してまとめたものというより、シーンごとのスキット（会話）がある自分に合った教材を選んで、なりきってトレーニングをしてみましょう。

日常的な英会話を学ぶなら、NHKのラジオ英語講座

日常的な英会話には、NHKのラジオ英語講座もおすすめです。

月間500円程度のテキスト代を除けば基本的に無料で、英語教材の質も高いので、最もコストパフォーマンスが高い教材だと言えます。

レベルや目的別に多くの講座があり、各講座とも5〜15分／回、多くて5回／週で、ウェブページやアプリから都合のいい時間に聴けるので、自分の英語力に合ったやさしめの講座を選んで無理なく始めていただきたいです。私も中学生時代から聞いていますし、英語のできる私の友人もNHKラジオ英語講座で学んだという方が多いです。楽しみながら継続することが大事ですが、余裕のある方は、是非、なりきりオーバーラッピング、シャドーイング／リピーティングをしてみてください。

主に中学生向けの「基礎英語」シリーズは、最近は日常的なシーンが設定されており、ちょっとくだけた表現も出てくるので、大人の英語の初級者にもおすすめ。1日15分×週5回の講座なので、無理なく継続できるでしょう（NHKラジオ英語講座については、

108ページにも記載しています)。

高校時代に学んだ英語がある程度理解できる方で、幅広い英会話力を付けたい場合は**「ラジオ英会話」**がおすすめです。家庭内・学校内・友人同士・恋愛・仕事など、様々な社会生活のシーンをカバーしており、イメージしながら日常会話の中でリアルに使える表現を学べます。また、ビジネス英会話や時事英語に特化した内容の講座などもあります。

なお、NHKの英語講座には、テレビ講座もあります。テレビは映像からイメージしやすく娯楽性が高いので、まずは英語そのものに慣れたいという初心者の方におすすめです。ただ、一過性が高くて復習しにくいという面もあるので、本物の英語力・英会話力を身に付けて伸ばしたい場合は、ラジオ講座をおすすめします。

幅広い英語表現を学ぶなら、YouTubeもおすすめ

現在はYouTubeに、英会話表現が学べる動画が沢山掲載されています。特に、日本語ペラペラのネイティブがいろんな観点から役立つ面白い動画をアップしているチャンネルもあります。

- **ニック式英会話**
- **サマー先生と英会話!**
- **Hapa英会話**
- **アーサーの英会話(IU-Connect)**

などは、初心者でも飽きにくく、続けやすいのでおすすめです。

旅行英会話や日常会話、ビジネス英会話、映画やドラマの英会話

など、いろいろなシーンのものがあるので、なりたい自分の目的に合わせて選びましょう。

そして、**動画から英語表現を学ぶ場合も、単に聞くだけでなく、なりきりオーバーラッピング、シャドーイング／リピーティングを行うとより効果的**です。

また、英語の中級者以上の方には、NHKの海外向け英語ニュース番組『NHK World』、海外のネイティブが教える英会話の動画講座（『Rachel's English』など）、ネイティブ向けの動画（映画、ドラマ、『CNN』『PBS』『BBC』などの海外ニュース、『TED Talks』などのプレゼン）も視聴し、耳からの大量のインプットを蓄積することも有効です。

これらの動画は万人向けなので、比較的ゆっくりクリアに発音していることが多いですが、中には、ネイティブ並みに速度が速いものもあります。その場合、YouTube動画には速度を変えられる機能がついていますので、速すぎると感じたら最初のうちは速度を落とし、慣れてきたら上げるなど、自分のレベルに合わせて調整するといいでしょう。また、聞き取れない場合や日本人に馴染みがない表現が使われる場合は、字幕表示機能をオンにしてください。英語が表示され、確認しながら動画を見ることができます。

ニュースサイトの場合は、動画の他、その英文スクリプトまたは関連記事も出ていることが多いので、文字と音声両方からのインプットの相乗効果で英語を理解できます。ここでも、聞き読み（with速聴）、なりきりオーバーラッピングや音読、できる方はシャドーイングやリピーティングもやってみるといいでしょう。

⊙ モチベーションが上がる！ 洋画や海外ドラマ

お気に入りの洋画や海外ドラマがあるなら、英語字幕が出るように設定できる動画配信サービス（2023年12月時点でNetflixやHuluなど）やDVDもあるので、それを使って聞き読みやなりきりオーバーラッピングなどの練習をするのもいい方法です。

ただ、**英会話としては、かなり難易度が高い場合が多く、上級者向けです。**英語学習者用の配慮はなく、ネイティブの娯楽用に制作されているので、学校英語では習わないインフォーマルな表現やスラング、文化などの背景もわからないと理解できないジョークやユーモアも比較的多く含まれているからです。

また、いろんな話し方をする俳優が出演し、話すスピードも総じてかなり速いので、シャドーイングやリピーティングは難しく、まずは、速聴なしの聞き読みとなりきりオーバーラッピングが中心になるでしょう。字幕で英語を確かめながら、俳優がセリフをしゃべったあとに停止ボタンを押し、一文ずつなりきり音読やリピーティングの練習をしてもいいと思います。

「この俳優が好き！」「この作品が好き！」といったモチベーションをベースに、自分の好きな映画からやってみると、楽しみながら継続しやすいでしょう。

それでも、難易度が高いことを認識し、一歩一歩の小さな成長を感じながら、気長にやっていくことをおすすめします。

【ChatGPT活用法①】
ChatGPTと英会話をしよう

昨今の生成AI（人工知能）の進歩には目覚ましいものがあります。

その代表格がChatGPT（チャットジーピーティー）で、2023年12月現在、ChatGPTには無料版（GPT-3.5のみ）と有料版（GPT-4.0も使える。月額$20）があります。できれば精度が高く、いろいろなプラグインなどの付加機能が使える有料版のほうがおすすめですが、無料版でもかなり精度が高い回答が得られますし、回答に出てくる英語も自然なネイティブ英語です。

これを英語の学習や習得に活かさない手はありません。是非、まずは無料版で日本語のやりとりでもいいので、ChatGPTを使うことに慣れましょう。

【ChatGPT】
https://chat.openai.com/

英語の上級者の方は、是非、英語でもチャットしてみてください。

ChatGPTは、24時間いつでも、パソコンやスマホなどでインターネットにつながるところならどこでも、質問や相談に応じてくれる超人的で優秀な英語の先生だと思って下さい。日本語で質問しても、英語で質問しても、的確に答えてくれるマルチリンガルです。

基本的な使い方は、チャットをするように、メッセージの入力欄にプロンプト（回答を得るための指示、質問やお願い）を記入して送信するだけ。ChatGPT先生がすぐに回答してくれます。

プロンプトは、対人間と同じで、指示や質問が具体的で明確であるほど、いい回答が返ってきます。

語彙、表現、文法、添削、要約、翻訳など何でも質問・相談・お願いできますが、英会話力の向上に最も適した活用法は、**「いろいろな会話シーンの作成」**と**「音声入力機能を使ったChatGPTとの英会話」**の2つです。

英会話文・文例の作成方法

ChatGPTがすごいのは、自分の必要とする会話シーンの英会話の作成を依頼すれば、自然な英語で作って返してくれることです。英会話は、シーンや状況にふさわしい英文や使われる表現を学ぶことで身に付きます。英会話本やウェブサイト、NHKラジオ英語講座にも様々な英会話シーンの英語が載っていますが、なかなか自分が学びたいシーンが見つからないこともあるでしょう。それをChatGPT先生は一気に作ってくれるのです。

例えば、私の大好きな米国西海岸で展開するハンバーガーチェーンIn-N-Out（インアンドアウト）でのアニマルスタイル（裏メニュー）を注文するときの会話シーンの例を知りたい場合、無料版でも使えるGPT-3.5のメッセージ欄に次のようなプロンプトを打ち込みます。

ロサンゼルスのIn-n-Outバーガーで、アニマルスタイル（裏メニュー）を含む注文をし店内で食べる時に店員とする英会話のスキットを作って下さい。

すると、以下の回答が数秒で得られました。

以下は、ロサンゼルスのIn-n-Outバーガーでアニマルスタイルの注文をする際の英会話スキットです。このスキットでは、カスタマー（顧客）と店員の対話が含まれています。

カスタマー（C）：Hello, I'd like to place an order, please.
店員（E）：Sure, what can I get for you today?
C：I'd like a Double-Double, Animal Style, please.
E：Great choice! Would you like any fries or a drink with that?
C：Yes, I'll have a small order of Animal Style fries and a Coke.
E：Got it. Anything else for you?
C：That's it for me.
E：Okay, so that's one Double-Double, Animal Style, a small order of Animal Style fries, and a Coke. Is that correct?
C：Yes, that's correct.
E：Your total comes to $10.75. Will that be for here or to go?
C：I'll dine in, please.
E：Alright, we'll give you an order number. Please take a seat, and we'll call your number when your order is ready.
C：Thank you.

すごくないですか⁉

そして、追加で「このスキットで使われた表現以外に、In-N-Outでの注文時に客が言う可能性のある表現、店員が言う可能性のある生きた英語の表現（英語とその日本語訳）を10個ずつ教えてもらえますか？」と依頼すると、

カスタマーが使う表現：

1. "I'd like to order..."
   - 「注文したいのですが...」
2. "Can I get a [menu item]?"
   - 「[メニューアイテム] をお願いできますか？」
3. "I'd like it [specific customization], please."
   - 「[特定のカスタマイズ] でお願いします。」
4. "For here, please."
   - 「ここで食べます。」
5. "To go, please."
   - 「持ち帰りでお願いします。」

（顧客の５個のみ抜粋）

と出てきました。

さらに、解答例の中にあった特定のカスタマイズ［specific customization］の具体例を10個教えてほしいとお願いしたところ、

もちろんです。以下は、特定のカスタマイズ（specific customization）の例です。

1. "I'd like it with extra cheese, please."
   - 「追加のチーズをお願いします。」
2. "Would you like that with grilled onions?"
   - 「それに焼き玉ねぎを入れますか？」
3. "I'd like it without pickles, please."
   - 「ピクルス抜きでお願いします。」
4. "Would you like that with lettuce and tomato?"
   - 「それにレタスとトマトを入れますか？」

（４個のみ抜粋）

と出てきました。

このように、食事の注文でも、ホテルのチェックインでも、ビジネス、友人や恋人の会話などどんなシーンでも、具体的に指定してお願いすると、自分の求めるシーンの英会話が出てきますし、そこから深掘りの質問や依頼もできます。

こうして英会話のスクリプトの英語を確認した上で、さらに音声読み上げソフト（音声合成ソフト）を活用して音声を再生することにより、リスニングや聞き読み、なりきりオーバーラッピングなど英会話の１人練習ができるのです。

音声読み上げソフト（無料枠のサービスあり）は、検索すれば出てきますが、2023年12月時点で以下などがあります。

・NaturalReader（https://www.naturalreaders.com/）
・Speechify（https://speechify.com/ja/）
・Amazon Polly（Amazon AWSのサービスの一環：https://aws.amazon.com/jp/）

これらのサービス画面にスクリプトをコピペで貼り付けたり、ChatGPTと連携させた場合はChatGPT画面のスクリプトから音声を直接再生させたりすることで、AIを用いたネイティブの発音に近い音声を聞くことができます。

以前より再生の精度は格段に高まったものの、間の取り方など少し不自然な発話もありますが、リアルな英会話をする前の予習や復習に、このやり方を活用するといいでしょう。

〉ChatGPTと英会話する方法

もう1つのおすすめの使い方は、音声入力機能を使って、ChatGPTと会話することです。通常、ChatGPTはメッセージ欄にテキスト（文字）を打ち込んでチャットしますが、口頭の音声でも自動入力でき、ChatGPTからの回答も音声で再生できます。つまり、**ChatGPTと口頭の英会話ができる**ということです。

ChatGPTとの英会話のメリットは、基本的にいつでもどこでも無料でできること、そして、恥ずかしい思いをすることなく気軽に自分のペースできることです。リアル性はネイティブとの英会話に勝るものはないですが、ネイティブと会話の機会が少ない方や苦手意識のある方は、是非、ChatGPTとの英会話を練習や学びの機会として活用しましょう。オンラインや教室、旅行先や仕事などでのリアルな英会話の予習や事前練習としても有効です。

2023年12月時点で、２つの方法があります。

①パソコンを利用する場合

１つめは、パソコン上で、ブラウザーのChrome（クロム）やBING（ビング）の拡張機能である「Voice Control for ChatGPT」を使う方法です。この拡張機能をブラウザーにインストールすると、ChatGPT画面のメッセージ入力欄にマイクのアイコンが現れます。そのマイクアイコンを押して録音状態にした上で話すと、その内容がテキストとしてメッセージ欄に自動入力され、それを送信できます。また、メッセージ欄の近くに現れたスピーカーのアイコンをONにすると、ChatGPTからのテキスト（文字）での回答が音声でも読み上げられるので、まるでChatGPTと英会話をしているかのようです。

英語の読み上げ音声は多少機械的な部分もありますが、言語、男女などの音声、再生速度を選んで設定できるので、英会話の初級者にも向いています。ブラウザーの機能なので、無料版のChatGPTでもこの機能を利用できます。

フリートークや適当にテーマを決めての自由な会話も可能ですし、特定のシチュエーションを想定したロールプレイも可能です。

フリートークの場合は、

「あなたは英語の先生で、私は英語の学習者です。これから私の英会話の練習のために英語で（〇〇について）フリートークを行います。まずあなたから私に英語で話しかけて下さい。返答はすべて英語で、50単語以内にしてください」

などのプロンプトをメッセージ欄に入れ、ロールプレイの場合は

「あなたは〇〇（例えば、ホテルXYZの受付）で、私は〇〇（例えば、ホテルに到着したばかりの客）です。これから私と〇〇（例えば、ホテルチェックイン時）の英会話のロールプレイを行います。まずあなたから私に英語で話しかけて下さい。返答はすべて英語で、50単語以内にしてください」

などのプロンプトを最初にメッセージ欄に記入すると、ChatGPT側から話しかけてきます。

各々の立場、状況、指示内容を明確にすることがプロンプト作りのポイントです。

また英会話の途中や最後に、知らない単語や表現、文法の説明、自分の表現の改善点などを口頭またはテキストチャットで日本語で

も英語でも、自分のペースで聞くこともできます。会話のやりとりはチャット欄にテキストで残るので、復習もしやすいです。

②スマホやタブレットを利用する場合

２つめの方法は、ChatGPT自体の音声会話機能を使うことです。2023年12月時点では、OpenAI社が開発したChatGPTアプリをスマホやタブレットにインストールしたときのみ可能なサービスで、無料版ChatGPTのユーザーも利用できます。アプリのメッセージ入力欄横のヘッドフォンのアイコンをクリックすると、英語や日本語を含む多くの言語でChatGPTと会話できます。

ChatGPTの英語の音声やイントネーションは、①の方法より、かなり自然です。複数の男女の声の中から選べます。また、一度ヘッドフォンアイコンを押して会話が始まったあとは、会話をさえぎるときにボタンを押すのを除き、基本的に電話で話すようにハンズフリーで自然な会話を楽しめます。話した内容は、①の方法と同様、ChatGPTの履歴に残るので、あとで内容をテキスト（文字）で確認することも可能です。音声はネイティブスピードなので、英語の中級者・上級者にとっては、ネイティブと話すように会話を楽しめる絶好の機会になるでしょう。

他方、ユーザー側でChatGPTの音声スピードを変える機能はありません。やさしい英語でゆっくり話すようにChatGPTにお願いしてもあまり大差ないので、この②の方法は、英会話の初級者やリスニングの苦手な方には難しいかもしれません。そのような場合、ChatGPTはマルチリンガルの先生なので、英語でわからなかったことは、途中で日本語の会話に切り替えたり、日本語で質問をしたりしてもいいでしょう。

①②のいずれの方法においても、話し手の発音が正確かつクリアでない場合は、意図しない内容で伝わることがあります。うまく伝わらなかった場合は、チャット欄に残ったテキストに「どんな英語で伝わったか」が出てくるので、あとで確認してみましょう。

それでも、多少の違いはChatGPTが意を汲んで答えてくれることもあります。また、伝わっていないこと自体が、自分の発音の再確認になりますし、再度自分のペースで言い直せばいいのです。

どちらの方法にもメリットとデメリットがあるので、両方を試して、どちらが自分に合うかを確認しましょう。

AI周りの技術の進歩はめざましいので、どんどんデメリットは解消され、いずれ人間と会話しているのに限りなく近くなるでしょう。AIを活用した英会話サービスも続々登場していますし、有料版ChatGPTと英会話サービスのプラグインや統合でより高度なサービスも期待されます。

ふわっと速読と並行して継続を

いかがでしょうか。ここまで、英会話力を上げる３つのトレーニングをお伝えしました。

ふわっと速読と並行して行っていただくことで、英会話力を含む英語力が加速度的に上がっていくはずです。是非、楽しみながら、続けていってください。

column ❷

「発音できないものは、聞き取れないって本当?」

「自分が発音できないものは聞き取れない」というキャッチコピーを耳にしたことがあるでしょうか?

これは、リスニングが苦手な人は、まずは正確な発音の練習から始めるべきで、正しい発音ができてはじめてリスニング力ができるという考え方です。確かに、ネイティブの発音に耳が慣れてくると、聞き取りやすくなります。

しかし、「自分が発音できないものは聞き取れない」という理論は、違うと思います。舌や唇をうまく使って発音できることと、音声を認識することは異なるからです。

実際、私の友人に、発音はよくないけれど、自然なネイティブ英語をラクに理解できる人が沢山います。逆に以前の私は、発音はほぼアメリカ英語でしたが、リスニングになると、ネイティブ英語(特にアメリカ英語以外)を聞き漏らすことが多々ありました。

原因は、緊張しながら一語一句正確に音を聞き取ろうとして、むしろ脳の理解がついていけなかったことでした。リスニングは、最終的には、意味のカタマリを音で聞き取れて理解できるかです。一語一句の細かい音を正確に聞き取ろうとするより、カタマリとしての音を認識できることが大事です。個々の発音は、米・英・豪など国や人によって様々なので、その違いに囚われすぎないほうがいい。音のカタマリをなす英語の強弱・長短のリズムや複数の単語間の音の連結(リンキング)・脱落(リダクション)などの音声変化に耳や脳が慣れることが大事です。そして、音のカタマリ(例えば[aimédim])を意味のカタマリ(例えば「I met him.」)として認識するためには、経験や知識の記憶とラクに結びつけてイメージ化する体や脳のリラックスが大事です。

フォニックス(発音練習)も大事ですし、理想の発音の習得もいいですが、リスニング力向上は、脳の理解の本質にも目を向けましょう!

第4章

もっと英語を読みたくなったあなたへ

仕事・学びの効率を上げ、
英語力もアップする「4つの読み方」

英語力アップに欠かせない4つの読み方

日常の英会話を超えて、もっと会話の幅、教養、真の英語力を高めたい英語の中級者以上の方には、自分の興味のある記事、ノウハウ本、小説などを読むことをおすすめします。

そうした多様な文章を含め「大量のインプット」をすることは、第二言語習得論の見地からも、総合的な英語力をアップするために、非常に役立ちます。

イメージを湧かせながら継続してインプットすることが重要なので、自分の好きなジャンルや得意な分野のものを選ぶなど、興味を持って読めるものからやってみましょう。

釣りが好きであれば、釣りに関する記事やハウツー本を選ぶと、自分の経験とあわせて、その内容を具体的かつ、鮮明にイメージできるはずです。

ただ、ひと言で読むといっても、その方法は１つではありません。本章では英語力アップに欠かせない「英語の読み方」のバリエーション、そしてそれぞれの効果を紹介していきます。

目的に応じて読み方を変えよう

Max Reading（英語脳トレジム／英語速読）では、読む目的に応じて、読み方を大きく、次の４つに分類しています。

①精読	文や表現の意味を理解しながら読む読み方
②熟読	内容やシーンの詳細にじっくり入り込む読み方
③スキミング	全体の概要を素早く把握する速読法
④スキャニング	欲しい特定情報を探して速く得る速読法

それぞれの読み方について順に説明していきましょう。

①精読

文や表現の意味を押さえながら理解して読む読み方です。英語学習においては、最も基本的で一般的な読み方と言えます。文法もしっかり押さえ、語彙の意味を辞書で調べながら読むのが精読という考え方もありますが、本書では、理解の手段の１つである文法を無意識に感じられ、語彙の意味を想像でき、そのレベルで文や内容を理解できれば精読だと考えています。

②熟読

熟読は、内容やシーンの詳細までじっくり考えたり、感じたりしながら読む方法です。小説をじっくり味わいながら読む場合や、専門知識の詳細まで理解しながら読む場合などに向いています。当然、精読よりもスピードが遅くなります。

③スキミング

スキミングは、全体の概要を素早く把握するのに適した速読の読み方です。本や記事、資料の細かい内容よりも、まずは何が書かれてあるかの大意や概要を理解します。スキミングは人によって異なる意味で用いられていますが、本書での意味は、一部の文（段落の最初と最後の文など）だけやキーワードだけを拾って読む「飛ばし読み」ではありません。読む対象と広く俯瞰して向き合って、広い目線をスムーズに動かしながら、大きなカタマリごとに本質的な意味をつかんでいく読み方です。

④スキャニング

スキャニングは、特定の欲しい情報を素早く探して得るのに適した速読の読み方です。キーワード検索をして調べるときに、この読み方をしたことがあるのではないでしょうか？　スキミングよりさらに広く俯瞰しながら、必要な情報をサクッとつかんでいきます。

以上の４つの読み方のうち、速読トレーニングをしていない多くの方ができるのは、精読と熟読でしょう。日本語だと、新聞や雑誌、膨大な仕事の資料などを読むときに「大体の内容や必要な情報がわかればいい」と何気なくスキミングやスキャニングをされている方も少なくないと思います。

しかし、英語となると、どうしてもきっちり読まなきゃと構えてしまい、比較的やさしい英語の文章でもたどたどしい遅い読み方しかできない人がとても多いです。

だからこそ、**ふわっと速読をマスターして、スキミングとスキャニングもできるようになると、読み方の幅がグンと広がります。**読む対象や目的に応じて効率よく読めるようになるのです。

さらに、**速読トレーニングをすると、目と脳がその速さや速読感覚に慣れてくるので、それに引っ張られて精読や熟読も自然により速くなります。**心地よく感じるコンフォート・ゾーンが広がるからです。例えば、もともとWPM＝80～100くらいの速さでたどたどしく精読していた平均的な日本人の方が、WPM＝200～250程度でスキミングの速読ができるようになった場合、WPM＝150～180くらいがゆっくりに感じてラクに精読できたりします。これは、英語でも日本語でも得られる速読トレーニングのメリットです。

読み方を組み合わせると、さらに効率が上がる

４つの読み方に慣れてきたら、それらをうまく組み合わせると、自分に必要な情報を、さらに高速で得られるようになります。

例えば、本を読むときに、まずスキミングで読んで全体概要を把握し、その上で２回目はスキャニングをして、自分にとって必要なところを中心に読むということができるのです。

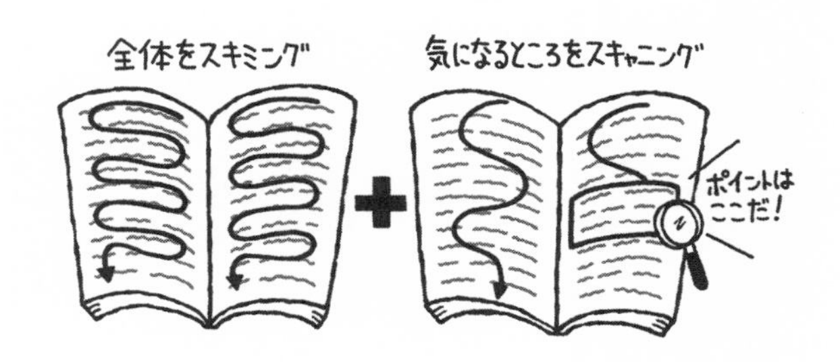

もしくは、まずスキミングをした上で、２回目はスキミングをしながら概要を復習し、必要ないところやわかりきっているところはさっと流し読みをし、大事なところだけ精読や熟読できっちり読む

など、メリハリをつけた読み方もできます。

そうすることで、読む本のタイプによって、または仕事などで読むメールや資料の種類によって、目的に合わせた高速で効率のいい読み方ができるようになるでしょう。

ラクに速く大量のインプットを行えることのメリットは、時間短縮だけに限りません。

それを継続的に続けることで、読書や学び、仕事の質も高め、自分自身の経験や知識の蓄積（ストック）をもたらすこともできるのです。

また、大量のインプットによって英語力を高めることもできます。

理解度を深め、効率を上げる「繰り返し読み」とは

ここで、スキミングを応用した読み方を1つ、紹介しましょう。

この読み方は、効率的に情報を頭に入れ、理解度を高めたいときに、とても役立つ読み方です。

方法としては、**同じ文章を2〜3回繰り返し、スキミングで読むというものです。**この読み方をすることで、時間をかけて熟読・精読するよりも、効率的に情報を頭に入れられるのです。

1回のスキミングの理解度は5〜6割程度、概要をつかむレベルで構いません。1回のスキミングに時間をかけず、全体を速読することを2〜3回繰り返してみてください。

実は、繰り返し速く読むことによって、どんどん理解度が上がり、記憶の定着効果が高まっていくことがわかっています。

時間をかけてじっくり読むよりも、結果としてこの読み方のほうが効率的な学びにつながりやすいのです。

こうした読み方は、宇都出雅巳氏が提唱する「高速大量回転法（KTK法）」に通じる部分があります。

高速大量回転法とは、高速で何回転も同じ文章を繰り返し読む読書法・学習法です。

繰り返し速く読むことにより、知識の蓄積（ストック）が次第になされていくので、理解度が次第に深まって記憶に定着しやすく、読書や学習のスピードアップにもつながるといわれており、この考

えには私も共感しています。

高速大量回転法では、目や脳の使い方の練習はいらないといわれていますが、目から脳にスムーズに情報が伝わりにくい状態で行うより、それが改善された状態で高速大量回転したほうが、よりラクに、かつ効率的に理解できます。

特に、英語の場合はそうです。母国語であり、それ自体が意味を有する漢字（表意文字）が含まれる日本語は、イメージが湧きやすく、日本人にとって比較的高速回転しやすいですが、アルファベット（表音文字）の羅列で、苦手意識もある英語の場合は、そうはいきません。したがって、イメージが湧きやすくなるふわっと速読の目と脳の使い方が、高速回転の中で活きてきます。

ふわっと速読×高速大量回転法

ふわっと速読に、この高速大量回転法の要素を組み合わせ、英文を読むと、以下のようになります。

１回目は、5〜6割程度、概要が理解できればいいという感覚で、本や本の章、記事などの最初から最後までをザーッと速読します。

わからない部分があったり、自分の求める理解に到達していない（例えば、3〜4割くらいの理解）と思ったりしても、スキミング感覚で読み進めて下さい。読み進めることにより、あとで見えてくるものもあります。

基本的には、これを再度繰り返すのですが、読む目的や対象によっては、この１回でやめても構いません。

例えば、新聞や雑誌などの記事であれば、概要をある程度つかむだけで目的達成という場合もあるでしょう。また、内容が期待外れだったという本や記事の場合は、1回どころかその途中でやめてもいいです。

もし、難易度が高く、理解度が3～4割程度だったとしても、必要であれば、基本的にはもう1度繰り返して読みましょう。

2回目もまた、スキミングの要領でザーッと読みます。このときは、既に1回目である程度（例えば5～6割）は理解できているので、その埋まっていない部分をパズルのようにピースで埋めていく感覚になります。

すると、理解度が7～8割程度に上がったり（1回目が3～4割だった場合は5～6割程度に上がったり）、既に埋まっているところは復習になったり、誤解が正されたりするので、理解度がさらに高まります。

読む目的を達成したと思えば、ここでやめてもいいのですが、基本的には3回目もまたスキミング感覚で読みます。すると、理解度がさらに高まります（例えば8～9割程度）。

こうして概要が高いレベルでわかってくると、自分の目的にとって重要な部分も見えてきますし、そういう内容ほど興味を持って読めるようになります。

繰り返し読むことで、概要とそれに紐づく重要な部分、自分の読む目的に合致した部分を中心に理解が深まり、ふわっと速読を繰り返すことで記憶も定着していくのです。

この読み方で大事なのは、ふわっと速読と同様、「5～6割程度、概要が理解できればいいや」「何回でも読めばいいんだ」と、読む対象と気楽に向き合うことです。

自分にバックグラウンドが少ない難しい内容ほど、ちゃんと１回で理解して読もうとすると行き詰まります。

気楽に、何度も、少しずつというスタンスに頭を切り替えて、ふわっと速読で体も脳もリラックスして取り組むことで、少しずつ道が開けてきます。

実際にやってみると、２回目以降は、それまでに読んで理解した内容が蓄積されていることから、より高速で読めて理解も速くなるので、「速読が上達した」という実感が得られ、それが自信にもつながるでしょう。

やり終わったときには、最初からきっちり丁寧に読むより効率的で、理解度や記憶も深まったことを感じられるはずです。

【効果的な英語の読み方①】
仕事の文書の場合

ここからは、読む対象や目的に合わせて「効果的な英語の読み方」を解説します。まずお伝えしたいのが、「仕事の文書を読むとき」の方法です。

仕事の文書にはいろんな種類があるので一概には言えませんが、**大量の資料や文献であるほど、細かいことより、その概要をつかみたい方が多いのではないかと思います。**

会議や事業計画書などの詳細資料を作るとき、上の立場の方用に「エグゼクティブサマリー（要約版）」をつけることもあるくらいですから。

したがって、仕事の文書を読むときには、全体概要をつかむ**スキミング**が適しています。

最初から一字一句をきっちり読んでいくと、「木を見て森を見ず」になりがちです。全体像が見えにくくなり、概要を把握するのにすら時間がかかります。何回も立ち止まって返り読みして読んだり、ゆっくり苦労して読み進めるうちに最初に読んだことを忘れてしまって、結局は、もとに戻って再度読んだり…と無駄に時間がかかるものです。

仕事の文書を読むときは、まず、スキミングで全体をザーッと読み、全体の概要や文脈と、それに紐づく重要な点が何かをざっくり

とつかみましょう。

資料や文献が大量で長く、全体をスキミングするだけでも多くの時間がかかりそうな場合は、まずは段落の最初と最後の文（最も伝えたい内容であるトピックセンテンスであることが多い）だけを飛ばし読みして、全体の超ざっくりした雰囲気を感じた上で、スキミングをしてもいいです。

その上で、２回目は、精読で読み進め、特に重要なところは熟読して深掘りするというように、メリハリをつけて読むのもいいでしょう。一度スキミングをしているので、理解が速く深くなり、結果的に時間も短縮されます。高速大量回転法的に、スキミングを２回目以降も繰り返すことも有効です。

仕事の場合は「会議資料を○日までに読む」など、時間が限られていることが多いです。

期限内に読む場合も、スキミングであれば、最も重要な全体概要を最低限つかめますし、**「全体概要をつかむ→必要・重要なところをさらに個別に読む（森→木／スキミング→スキャニング）」**という順番の読み方のほうが、脳内の整理がしやすく、自分の目的に合った理解が効率的にできます。

こうした読み方は、もちろん日本語でも有効ですが、特に英語を読む場合は時間がかかるので、スキミングを組み合わせた読み方がより大事になってきます。

【効果的な英語の読み方②】
記事の場合

次に「英語の記事」を読むときに、効果的な方法をお話ししましょう。

記事が掲載されている媒体にも様々なものがありますが、特に新聞、雑誌や情報サイトは、文章力のあるジャーナリストやライターが記事を書いているので、タイムリーに興味のある情報を得るだけでなく、良質でわかりやすい英語に触れることができ、英語力を向上させるのにも役に立ちます。

英語の中級者の方には、まずは、ご自身の日常である日本のニュースや記事を英文で沢山読める、以下のメディアがおすすめです。

【中級者向けメディア】
- The Japan Times（https://www.japantimes.co.jp/）
- The Japan News（読売新聞系：https://japannews.yomiuri.co.jp/）
- Japan Today（https://japantoday.com/）
- The Asahi Shimbun（朝日新聞系：https://www.asahi.com/ajw/）
- All About Japan（生活系情報サイト：https://allabout-japan.com/en/）
- japan-guide.com（日本旅行系情報サイト：https://www.japan-guide.com/）

既にある程度内容を知っている記事を読めば、そこから湧くイメージと一緒に想像しながら、英文をインプットできます。

英語初級者の方は、比較的やさしめで興味のある内容（例えば、スポーツやエンタメ、旅行系）のメディアや記事を選んだり、

・The Japan Times Alpha
（https://alpha.japantimes.co.jp/）

のような学習者向け英語記事媒体の記事を、日本語の訳文や解説付きで読むことから始めるのがいいでしょう。記事にレベル表示があり、厳選された内容なので理解しやすいと思います。

英語上級者の方は、目的に応じて、

・The Wall Street Journal（https://www.wsj.com/）
・Financial Times（https://www.ft.com/）
・The Economist（https://www.economist.com/）
・Time（https://time.com/）
・The New York Times（https://www.nytimes.com/）

などの欧米のメディアの記事を読む習慣をつけましょう。

記事の読み方は、読む対象や目的にもよりますが、**基本的には「全体像→個別」というスキミング主体の読み方が向いています。**

新聞を効率的に読むには

新聞を読む場合は、まずは、見出し（headline）部分を眺めながらスキャニングで自分の興味のある記事を見つけます。その上で、スキミングでザーッと見出し（headline）とリード文（lead。見出

しのすぐあとの文、段落など）を先に読み、その概要をつかんだ上で、本文（body）をスキミングします。特に自分にとって重要な部分は、少しスローダウンして精読するのもいいでしょう。

他方、旅行系や生活系など興味のある情報を得ることが目的であれば、ざっと概要をつかんで楽しむスキミングの他、特定の情報を探したり得たりするために読むスキャニングも合うでしょう。

スキャニングは、ウェブページを検索して必要な情報を探しながら読む場合や、雑誌やブログの記事中の興味のある部分のみをかいつまんで読みたい場合に向いています。いったんスキャニングした内容の概要を把握したり、理解や学びをより深めたりする場合は、必要に応じてスキミングや精読・熟読をしましょう。

大量のインプットによる英語力アップが目的であれば、最初は辞書なしのスキミング主体で繰り返し読んで、徐々にイメージを膨らませましょう。そして、必要に応じて、難しい重要な部分は精読や熟読をしたり、あとで未知の語彙（特にキーワードとなる単語や熟語）を英英辞典や英和辞典（ウェブや紙の辞書）で調べたりして、より理解を深める読み方をしてもいいでしょう。

自分がどういう目的で記事を読むかを明確にして、それに応じて、スキミング主体で読むか、スキャニング主体で読むか、もしくは、精読や熟読も含めてどう組み合わせて読むかを使い分けると、より効率的です。

【効果的な英語の読み方③】
実用書の場合

洋書を１冊読むとなると、精読していたらかなり時間がかかります。読んでいるうちに疲れたり、最初に読んだ部分を忘れたりし、結局覚えているのは最後に読んだところだけとなりかねません。

また、本の中の全ての内容が自分にとって重要というわけではありません。

特に実用書の場合は、まずは全体像や概要をとらえながら、自分にとって重要な内容を中心に読み取るほうがうまくいくことが多いので、これも**スキミング主体の読み方が向いている**でしょう。

以下のことが大事なのは、日本語の本の読書法と同じです。

- **自分の読む目的を明確にしてから、それに合う本を選ぶ**
- **本を読む前に、まず表紙と裏表紙、目次、著者の経歴、はじめになどに目を通し、全体の内容の何となくのイメージをつかむ**

上記を意識すると、本文が読みやすくなったり、目的に合った読み方をしやすくなったりします。

その上で、スキミング主体で、ある程度概要をつかめればいいという気楽な感覚で読んでいき、自分にとって重要な情報がわかったら、そこを精読するといったメリハリのある読み方がいいでしょう。

そして、その本の内容の理解や学びをさらに深めたい場合は、2回目、3回目と繰り返し読んでいきましょう。

中には、「本は最初から最後まで精読しなければ気が済まない」という人もいますが、先に述べたように、始めから1回だけゆっくり精読しても、時間的にも学び的にも効率が悪いのです。

スキミングを基本にメリハリをつけた読み方を繰り返し、自分の目的に合ったレベルまで理解を高めていくほうが、格段に効率的で、学びも深まります。

【効果的な英語の読み方④】
物語の場合

物語や小説は、基本的に、スキミング（概要把握）やスキャニング（必要な情報把握）が向かない読み物です。

「どういう展開になるんだろう」という話の流れを楽しみつつ読むものなので、先にスキミングでザーッとあらすじをつかむだけの読み方は味気ないし、２回目以降の繰り返しは、よほど気に入った本の場合は読めば読むほど噛みしめるように面白くなることがあっても、通常は面白く読めないことのほうが多いでしょう。

また、１つひとつのシーンを映像としてイメージしながら、登場人物に感情移入をしつつ読むと楽しめるので、**基本的には精読や熟読で読んでいくのがいいでしょう。**

ただし、精読や熟読といっても、単語を１つずつきっちり読んで意味をつかんでいく従来型の読み方は好ましくないです。

それでは、力の入った左脳モードのたどたどしい読み方になり、情景をイメージしながら感情移入をする右脳モードの読み方ができず、楽しみながらラクに読めません。

ふわっと速読と同じように、体の力を抜いて、ある程度広い視野で英文と向き合い、広い目線を保ちましょう。速読よりゆっくり目線を動かしながら読んでいきます。

そうすると、単語1つずつではなくて、意味のカタマリごとにイメージが湧きやすくなります。

そして、速読よりもゆっくりした目線移動なので、より詳細な意味や鮮明な情景のイメージが湧きやすくなるのです。

また、より登場人物に感情移入もできるので、文章を味わいながら読み進めることもできます。

物語や小説の精読や熟読であっても、ふわっと速読と同じ右脳モードの読み方のほうが、情景や登場人物の中に入り込みやすくなり、ラクに速く読めるのです。

【効果的な英語の読み方⑤】
TOEICや共通テストなどの英語試験の長文

TOEICの試験は、パート1～4がリスニングセクション（100問）で、パート5～7がリーディングセクション（100問）と分かれています。

大学入学共通テスト（共通テスト）も2023年時点でリスニング（100点）、リーディング（100点）と分かれており、いずれも英語のみで出題され、全てマークシート方式になっています。

リーディングは、TOEICのパート6（長文穴埋め問題。16問）と7（長文読解問題。54問）、共通テストの全問（49問程度）が長文問題です。2016年5月以降の新形式のTOEICでは、長文問題の比率が6割から7割に増えましたし、2021年1月以降の共通テストは、文法力・英訳・和訳ではなく、全てがTOEICのパート7のように長文読解問題になるなど、長文化、読解力や情報処理力など実用英語を重視する傾向が急速に高まっています。

この長文読解はかなりの量があるうえ、制限時間に追われるという焦りもあって、「解ききれなかった」という人が結構います。そもそも英文を読むのが遅くて、大量の英語を読みきれないという人もいます。

共通テストに関しては、困っているのは受験生だけではありません。高校や塾の英語の先生の中には、英文法や解き方を教えることができても、実際に自分が時間を計って模試をやってみると間に合わないという方も少なくないのです。急に試験内容が変わったので、仕方がないことでしょう。Max Readingでは、そのような高校や塾の先生が自らの速読力や英語力をもっと高めようとトレーニングしています。このように新たな学びを得よう、自分を高めようとする先生方が多いのは素晴らしいことで、私もそんな先生方に日々刺激を受けています。

長文問題攻略のカギは速読にある

TOEICや共通テストの長文問題を攻略するには、速読スキルによって読むスピードを上げることが有効です。

ただし、**長文問題においては、ただ速く読めればいいわけではありません。読む目的は、設問の正解を見つけることです。**したがって、長文を全てをきちんと理解しようと読むのではなく、設問の正解を速く見つけるのに効果的・効率的な読み方をすべきです。

TOEICや共通テストの長文読解問題は、日本語の国語の読解問題と同じく、必ず文章の中に答えやヒントがあるので、その内容の背景知識がなくても、その答えやヒントとなる情報を見つけることで、基本的には全て解けるよう設計されています。

そして、試験により体裁の違いはありますが、**「文脈問題」「ピンポイント問題」「解釈問題」**の3つに大きく分けられます。それぞれの問題に合った読み方があるので、簡単に紹介しましょう。

文脈問題

文脈問題は、森タイプの設問と言われることもありますが、「どんな内容が書いてあるか」といった文章全体の目的・趣旨などの全体概要や文脈を尋ねる問題です。文脈問題を解くには、大意を効率的につかみながら読む**スキミングが有効**です。

ピンポイント問題

ピンポイント問題は、木タイプの設問と言われることもありますが、5W1Hなどの具体的な内容や特定の情報を尋ねる問題です。例えば、「このチラシに書かれていることは何でしょうか？」といった設問が出たとします。その場合は、長文、広告内容、図表などからチラシの内容について書かれている部分を特定して見つければいいので、ピンポイントに答えやヒントを見つける**スキャニングが有効**です。

解釈問題

解釈問題は、複数の情報や条件、常識などから解釈・類推して解く問題です。大量の情報の中から、例えば情報Aと情報Bといった関連する複数のヒントを見つけ、それらから解釈して情報Cを導き出し、それをもとに解答します。

一見複雑そうですが、スキミングで全体像や文脈を把握し、スキャニングでその文脈に紐づく重要な情報を押さえながら読むと、情報の関連性が見えてきます。こうした**スキミング＋スキャニングの読み方**で、設問に関連するヒントとなる複数の情報を見つけやすくなり、効率的に正解に辿り着けるでしょう。

多くの人が時間が足りなくて大変だと感じている長文読解問題は、各々の長文の内容を一字一句正確に理解しようとして時間を費やし焦って解けなくなるよりも、**大意をつかむスキミングと欲しい情報を探すスキャニングをうまく使いこなして、効率的に情報処理するほうが解ける**ということです。

効果的な設問と長文の読み方

まずは、長文の最初の部分や文、それに含まれるキーワードや全体の構成を10秒くらいでざっと見た上で、長文のざっくりしたテーマを感じましょう。その上で、長文全体を読み始める前に、読む目的の根幹である設問に目を通します。

そのときに漫然と設問を読むのではなく、設問のタイプ（文脈問題orピンポイント問題）を把握し、どういう情報やヒントを見つけるべきかという長文を読む目的を導き出してください。その上で、長文を最初から読み進めましょう。

また、全ての設問を最初に一気に読んでも、長文を読んでいる間に忘れるので、基本的には１つ目の設問（記憶力の高い方は最初の２つの設問）のみを読みましょう。最初の設問の答えやヒントは長文の始めや前半の部分に、あとの設問の答えやヒントは後半の部分にあることが多いです。

また、選択肢は１つを除いて不正解の内容なので、基本的にはこれらは最初に読まずに、答えやヒントとなる情報にアンテナを張って長文を読みましょう。１つの答えやヒントのみでは解けない場合は、解釈問題なので、他の関連する情報にもアンテナを張って長文を読んでみてください。そして、その答えやヒントとなる情報が見つかったと思ったら、設問と選択肢に立ち返って、正解の選択肢を選ぶのです。最初の設問を解いたら、次の設問を読み、これまで読んだ続きから長文を同じ要領で読んで解いていきます。

基本的な設問の読み方

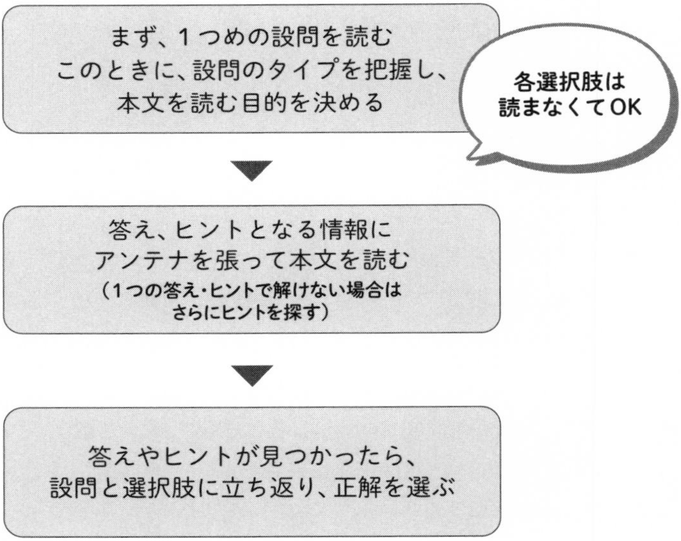

まず、1つめの設問を読む
このときに、設問のタイプを把握し、
本文を読む目的を決める

各選択肢は
読まなくてOK

▼

答え、ヒントとなる情報に
アンテナを張って本文を読む
（1つの答え・ヒントで解けない場合は
さらにヒントを探す）

▼

答えやヒントが見つかったら、
設問と選択肢に立ち返り、正解を選ぶ

TOEICも共通テストも、長文読解問題には設問のパターンや傾向があるので、そのパターンや傾向に基づく解法を学び、解法ごとの答えやヒントを効率的に探しながら読む練習をすると、もっと速く情報処理ができます。

そして、ふわっと速読の目と脳の使い方でスキミングとスキャニングができると、さらに余裕を持って速くラクに情報処理ができ、より効率的に正解を得られるのです。

【ChatGPT活用法②】
自分に合ったテキストを作ろう

第3章でChatGPTの英会話への活用について述べましたが、ChatGPTは「読む」ことにも活用できます。ChatGPTは、基本的にテキスト（文字）ベースだからです。

ChatGPTならではの活用法は、**自分の求める英語レベルに合った英文の作成や書き換え・要約です。** こうして作った英文で、ふわっと速読のトレーニングができます。

ふわっと速読の練習や実際に「読むこと」を習慣化するためには、自分の興味や経験のある分野で、かつ、自分の英語力に合った難易度の英文（速読練習の場合は少しやさしめの文章）が必要です。でも、自分に合った文章を見つけるのは難しいこともあるでしょう。ここで、ChatGPTの出番です。ChatGPTに自分に合った英文を作成してもらったり、少し難しめの文章をやさしく書き直してもらったりするのです。

英文の難易度の指定法

ChatGPTに英文作成をお願いするとき、難易度をどう指定したらいいかわからない方もいるでしょう。

そんなときは、国際標準であるCEFR（セファール）のレベルで指定すると伝わりやすいので、おすすめです。CEFRは、ヨーロッパ言語共通参照枠（＝Common European Framework of Reference for Languages）の略称で、語学のコミュニケーションレベルを示す国際標準規格です。難易度の低いレベルから順にA1、A2、B1、B2、C1、C2となっています。

CEFRとTOEIC・英検の換算表

<table>
<tr><th rowspan="2">CEFR</th><th colspan="3">TOEIC</th><th rowspan="2" colspan="2">英検</th></tr>
<tr><th>Listening</th><th>Reading</th><th>計</th></tr>
<tr><td>C1</td><td>490〜</td><td>455〜</td><td>945〜</td><td rowspan="2">1級</td><td></td></tr>
<tr><td>B2</td><td>400〜</td><td>385〜</td><td>785〜</td><td rowspan="2">準1級</td></tr>
<tr><td>B1</td><td>275〜</td><td>275〜</td><td>550〜</td><td rowspan="2">2級</td></tr>
<tr><td>A2</td><td>110〜</td><td>115〜</td><td>225〜</td><td rowspan="2">準2級</td></tr>
<tr><td>A1</td><td>60〜</td><td>60〜</td><td>120〜</td><td>3級</td></tr>
</table>

CEFRとNHKラジオ講座の換算表

<table>
<tr><th>CEFR</th><th colspan="2">NHKラジオ英語講座（2023年12月時点）</th></tr>
<tr><td>C1</td><td rowspan="2" colspan="2">ラジオビジネス英語</td></tr>
<tr><td>B2</td></tr>
<tr><td>B1</td><td rowspan="2">中高生の基礎英語
in English</td><td>ラジオ英会話</td></tr>
<tr><td>A2</td><td rowspan="2">中学生の基礎英語　レベル2</td></tr>
<tr><td>A1</td><td>中学生の基礎英語　レベル1</td></tr>
</table>

※IIBCと英検、NHKの公開情報を元に作成。
※C2は上記の対象外になっています。

ざっくり、中学卒業レベル≒A1、高校卒業レベル≒B1と思っていいでしょう。

レベル指定をして英語の文章を作成してもらいたい場合は、

「300単語程度のCEFR A1レベルの○○（例えば、「宝塚歌劇団」）についての英語の文章を（□□風に。例えば、新聞記事風に）作成して下さい」

などのプロンプト（指示）を送信すると、数秒で英語の文章が出てきます。「□□風に」の部分には「新聞記事風に」「○○向けの雑誌記事風に」「エッセイ風に」「ビジネス英語風に」「(研究) 論文風に」などを入れ、英文のスタイルを指定することも可能です。

レベルを指定して英語の文章(新聞やウェブ上の記事、ドキュメントなど)の書き換えや要約をお願いしたい場合は、

「以下の英文を、CEFR A1レベルの英語の文章に書き換えて下さい(○○単語程度で要約して下さい)(以下に英文を貼り付け)」

などのプロンプトを送信すると、同じく数秒で英語の文章が出てきます。

英文の貼り付けは、基本的にはウェブページやメール、WORDなどのファイルからのコピペですが、紙の本や書類の場合でも、Googleレンズで撮影した文字部分をテキスト化(文字化)し、それをコピペすることもできます。ただ、機密情報をChatGPTに送ることはその漏洩につながるのでご注意下さい。

作成や書き換え・要約において英語レベルを指定する場合、CEFR A1レベルでも、意外と難しめの単語や表現、構文の文章が出てくることもありますし、指定単語数は条件を満たさないことも多いです。その場合は「もっとやさしい英語で」「○○単語以上(以内)で」などの追加の指示を出すと、より条件を満たした英文が返ってくることが多いです。

また、必要に応じて、出てきた英語の文章の和訳をお願いしたり、わからない単語・表現やその使い方を聞いたり、構文が複雑な文の文法の説明をお願いしたりすることもできます。ChatGPTは、優秀な英語の先生として活用できるのです。このようにして、自分の興味のある分野、自分の英語力に合った英語をChatGPTに作ってもらって、英文を沢山インプットしましょう。

多読のすすめ

英語の学習法で、「多読」が推奨されています。

多読とは、読んで字のごとく「多く読む」ことです。記事や実用書、物語など、沢山英語を読んで触れることで英語に馴染み、実用的な英語力や英会話力アップに必要な「大量のインプット」を図ることができます。

英語の多読には、「多読３原則」という一般的なルールがあり、多読を推進する２つの団体が掲げています。表現が多少変遷しているので、最新と思われるものを以下に紹介します。

【NPO多言語多読が掲げる多読３原則】

①辞書は引かない
②わからないところは飛ばす
③合わないと思ったら投げる

【日本多読学会が掲げる新多読３原則】

①英語のまま理解する
②理解度７割〜９割で読む
③つまらなければあとまわし

NPO多言語多読の原則は、辞書をひいてきっちり和訳する日本の英語教育に対し、もっと気楽に楽しく読んで沢山の生の英語に触れましょうと提言しています。理解度よりも楽しさや気楽さを重視しています。20年以上にわたり、日本の英語多読の普及に貢献してきた元祖です。

日本多読学会の新原則も、その流れを受けていますが、小中高生に対する英語教育指導の観点から2013年に提唱されました。多読で読んでわかった気になっている子どもたちの「すべり読み」に対し、理解度100％にこだわらずに７割～９割を目指しましょうという目途の数値が含まれています。2020年に同学会が発行した『英語多読指導ガイド』には「理解度80％―90％で」の記述があり、数値が高くなっています。元祖より理解度をより重視した姿勢です。

どちらも第２章で紹介したGraded Readersなど英語学習者用のレベル別の本や洋書といった英語の本の多読を前提にしています。そして、元祖も新原則もスタンスの違いが多少あるものの「ふわっと速読」の本質とつながる部分や参考になる部分が多々あるのです。

ふわっと速読における多読とは？

これらの原則に照らし合わせて、ふわっと速読の観点から、私は多読について以下のように考えています。

まず、多読する読み物ですが、**「辞書は引かない」で「理解度７割～９割」でラクに読み進めることができるくらいやさしめの英語で、興味やバックグラウンドのあるもの**を選びましょう。

一般的には、知らない単語が５％以内なら英文を理解しながら読めるという研究結果がありますが、広く眺めるふわっと速読の場合は、知らない単語が１割程度あっても「９割も知っている」と思えて、そこからラクにイメージが湧き、概要や文脈・状況を理解できます。

また、ふわっと速読の場合は「理解度5〜6割でいい」「また繰り返し読めばいい」と、新原則よりもっと気楽な気持ちで英語と向き合えます。

先に紹介した日本多読学会の原則「理解度7〜9割」は、内容に関する5問の問いに対し4問は正解するくらいの理解度で、子どもたちへの教育指導の観点からの数字です。問いの難易度にもよりますが、かなり高い印象です。それに対し、ふわっと速読の「理解度5〜6割でいい」は本人の主観です。大人や大学生の皆さんは、自分自身の多読の目的(「大量のインプット」による実用的な英語力アップ、全体像の概略や文脈の理解、自分にとって重要な内容や本質の把握など)に応じた理解でよいでしょう。理解度の数字に厳密に囚われることなく、楽しく気楽に読み進めていただきたいです。

子どもたちにも、できるだけ早く、こうした主体的な読み方ができるようになってもらいたいと思っています。

そして、英語の本に限らず、**英字新聞、ネット上の記事や時事英語なども含めて多読する**のがいいと思います。洋書からの学びや気づき、1冊の英語の本を読み切った達成感も素晴らしいし、レベル別のGraded Readersなら、本をレベルアップさせることで、英語力アップも実感できます。

一方、大事なのは、自分の英語習得の目的や興味に合ったリアルな英語に楽しく触れ続けることです。自分の目的に合う読み物を多読し、英語を読む習慣をつけましょう。

立ち止まらず、読み続けるのが大事

「辞書は引かない」と「わからないところは飛ばす」は、いちいち止まって考えたり、辞書で単語や熟語の意味を調べたりしていると、そこで流れや時間が止まって多読しにくくなるので、ふわっと速読にも通じる大事な原則です。

そして、辞書に頼らずに内容をイメージする「右脳の理解」の力をつけ「英語脳」を作る意味においても有効です。この元祖の原則に基づき、基本的には辞書なしで、おおよその意味を想像しながら読み続けましょう。

ただ、「知らない単語をずっとそのままにしていいのか？」という疑問をもつ方も少なくないでしょう。日本語を習得した過程と同じく、多読の過程で繰り返し出てくる単語は自然にイメージで覚えられるというのが、多読やふわっと速読の根底にあります。

他方、意味や使い方をあとで確認したほうが語彙のよりよい理解につながることもあるでしょう。その場合は、多読中ではなく、その日の多読の最後や読んだ章・セクションの最後などキリのいいタイミングで調べて確認してみるのもひとつの手です。

確認の方法は、特に英語の中級者以上の方は、英英辞典（ウェブ／紙）や「○○ meaning」（○○には調べたい語彙や表現）と検索して出てくる英語の説明から、意味を推測するのがベストです。英語を日本語を介さずにイメージで理解することにつながるからです。

無料のオンライン英英辞典の中には、

・ロングマン英英辞典（https://www.ldoceonline.com/jp/）

・Oxford Learner's Dictionaries
（https://www.oxfordlearnersdictionaries.com/）
のように初級学習者にもやさしく、単語や例文の発音がある辞典もあるので、是非活用しましょう。

Googleの画像検索の画像からイメージしたり、ChatGPTに「〇〇の単語（熟語）を使った例文を10個教えて下さい」と聞いたりするのも、語彙のニュアンスや使い方も覚えられておすすめです。ただ、英語初級者の場合や語彙のイメージが湧きにくい場合は、英和辞典（ウェブ／紙）で日本語の意味も確認しましょう。

合わなければ、やめてもいい

「合わないと思ったら投げる」「つまらなければあとまわし」は、つまらない内容を読むのは苦痛でイメージが湧きにくく、多読が習慣化しにくいからです。

脳がハッピーな状態なほうがイメージしながら読み進められ、英語力アップの効果も上がります。

したがって、**つまらないと思ったらそこでやめて、楽しく興味を持って読める自分に合ったものに切り替えて、どんどん読んでいきましょう。**

第2章の「速読トレーニングに使用する英語本、英語教材（57ページ）」でGraded Readersの本を選択した方は、慣れてきたら、1つ高いレベルの本や未知の分野の本、本以外の英語にもチャレンジしていくと、読書の幅が広がります。そして、多読を続けることで、次第に英語を「英語のまま理解する」英語脳になっていくのです。

ふわっと速読で、多読がラクラクできる

多読をすること自体で英語力や読むスピードが向上しますが、速読スキルを活用し「多読×速読」を組み合わせることにより、さらに効果や効率が上がります。

ふわっと速読のスキルが身に付くと、より高速で読めるので、同じ時間でインプットできる量が格段に増えます。その上、文をより広い意味のカタマリで捉え、意味をイメージで瞬時に理解できるので、知らない単語や意味のとれないところを飛ばして読んでも、全体の文脈や流れからの理解もより高まるのです。

では、「多読×速読」で、どのくらいの量を読めばいいのでしょうか？

目指す英語力にもよりますが、**日本多読学会では、年間100万語を英語の多読の１つの目標としています。**

他方、NPO多言語多読では、無理すると楽しく継続できないので、目標やノルマを作らないで気楽に読みましょうとしています。ただ、両団体とも、**30万語くらい読むと効果（変化）を感じることが多い**としています。目標志向の高い方は別にして、無理なく楽しく続けて、結果として30万語や100万語に早く到達し、その後も楽しく継続するのが望ましいと思います。

仮に年間100万語を365日で割ると、１日あたり約2,700語。日本人のWPMの平均は80〜100なので、それで計算すると、１日あたり

約35～27分間、英文を読むと達成できます。

30分間前後とはいえ、社会人や学生が毎日、英語を「読む」だけのためにこの時間を確保するのは大変でしょう。

そこで、速読を組み合わせてみると…。

ふわっと速読のトレーニングで、本書で目指しているネイティブ並みのWPM＝200まで達すれば、１日約13～14分で、年間100万語を実現できます。年間30万語なら１日4～5分です。これなら、通勤通学の移動時間やお昼休みなどの隙間時間、早朝の起床後や夜の就寝前の時間などを利用して、忙しい人でも十分に可能でしょうし、多読を続けることの負担も軽減します。

読んだ単語数を把握・記録することで、自分の状況がわかり、達成感も感じやすくなりますが、記録し続けることは大変ですよね。

面倒に感じる場合は、１日平均○分、１週間に平均○分のように時間の目途を定めて、気楽に継続していくのはいかがでしょうか？一応お伝えすると、本の場合はWPL（１行あたりの平均単語数）×１ページあたりの行数で、１ページあたりの大体の単語数がわかります。また、１冊の本の単語数は「○○　語数」（○○には書籍名）でネット検索すれば、簡単にわかります。

多読は、「大量のインプット」を実現して英会話力アップのベースや英語脳を作るとても効果的な英語習得法ですが、継続する習慣をつけるのが難しいです。是非、ふわっと速読でラクに効率的に読めるスキルを身に付け、気楽に多読を始めてみてください。

第 5 章

ふわっと速読で人生が変わる！

仕事、学び、趣味…
ポテンシャルを最大化できる

なぜ、ふわっと速読で「人間力」が高まるのか

ふわっと速読は、「英語を速く読む方法があればいいな」と思ったことをきっかけに、私自身の日米での速読習得の経験と独自の知見をもとに開発したものです。

そして、私自身がそのスキルを使って、以前よりも大量の英語のインプットができるようになると、読むだけでなく、リスニングを含む英語力全般がブラッシュアップされていくことに気づきました。

しかし、ふわっと速読の効果は、それだけに留まらなかったのです。速読のスキルを、日本語を含む仕事や学び、読書などに、幅広く応用できるのはもちろんのこと、きっちり思考一辺倒の左脳モードに加え、力を抜いて感覚的に捉える右脳モードもできるようになったことで、眠っていた新たな能力をより発揮できるようになりました。

イメージ力、記憶力、共感力、自信、ポジティブ思考といった「人間力」全般が高まったように思うのです。

そうした力は、仕事や趣味など、人生の様々な場面で活用できるため、結果として、人生を自分らしく、ハッピーかつ、有意義に過ごすことにつながります。

それを私は「Max Being」と言っています。ひと言でいうと「自

分自身のあり方の最大化」という意味です。

ふわっと速読を身に付けることによって、英語力だけでなく人間が本来有するポテンシャルがより発揮されるようになり、自分自身のあり方や人生も変わりうると考えています。

この章では、その具体的な内容を解説していきましょう。

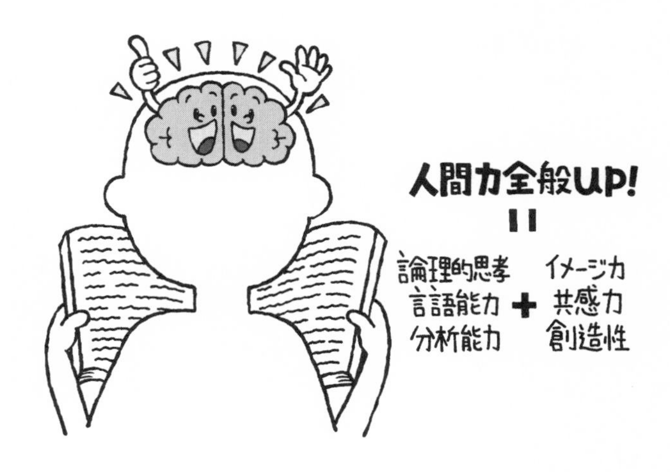

【ふわっと速読の効果①】
日本語を読むのも速くなる

ふわっと速読で英語が速く読めるようになると、なんと日本語の速読力もアップします。

Max Readingの受講者ほぼ全員から、**「ふわっと速読をしたら、なぜか日本語まで速く読めるようになりました」**というご報告もいただいています。

ふわっと速読における「広い目線でスムーズに捉える」目の使い方、そして「右脳モードになり、イメージで理解する」脳の使い方は、日本語を読むときにも応用できるからです。

実は、子どもの頃からの読書家は、教えられなくても自然にそのような読み方を身に付けていることが多いです。

しかし、大半の日本人は、日本語を読むときでさえ、文字を1つひとつ目で追ったり、頭の中で音読したりしています。きっちり読もうという意識が強く働いている人も多く、ラクに読めていないのが実情です。

ふわっと速読の目と脳の使い方の技術を習得すると、よりラクに、速く日本語を読めるようになり、読書や勉強の効率が格段に上がります。

日本語は速読しやすい言語

日本語はそもそも速読しやすい言語です。

言語を構成する文字には大きく「表意文字」と「表音文字」があります。表意文字は、それ自体が意味を有する文字のことで、日本語の漢字や数字がこれにあたります。

それに対して、表音文字は、文字自体には意味がなく、音を表したり構成したりする文字のことで、日本語のひらがなやカタカナ、英語のアルファベットがこれにあたります。

日本語は主に漢字とひらがなで書かれていますが、表意文字である漢字は目に飛び込んできやすく、発音しなくても意味のイメージが湧きやすいのです。さらに漢字は文章の中で意味上の重要なキーワードになっていることが多々あります。

したがって、漢字を中心とした意味のカタマリのイメージがラクに湧いてきやすい日本語は、比較的速読しやすい言語だと言えます。

それに対し、英語は、表音文字であるアルファベットが羅列した単語で構成されているので、パッと見ただけではイメージが湧きにくく、つい頭の中で音読してしまいたくなる言語です。

そして、実際に、または頭の中で音読すると、その音読の速さ以上には速く読めるようになりにくいのです。

実際、ネイティブでも脳内音読グセがある人が多くいて、彼らの読む速さは、話す平均スピードと同じWPM=200〜250に留まっています。

日本語のほうがそもそも速読に向いているため、ふわっと速読で脳内音読のクセが少なくなると、日本語でトレーニングをしなくても、「あれ？　日本語が速く読めるようになっている」と感じる方がとても多いのです。

⊙ 英語の速読から始めると、うまくいく

では、日本語の速読ができれば、英語の速読も速くなるのでしょうか？

日本語速読教室の講師の中には「速読の原理が同じなので、日本語で速読ができれば英語でもできますよ」とおっしゃる方がいますが、実際はそうはなりません。

英語が比較的得意だった私も、私の速読仲間も、日本語の速読習得後、英語を読むスピードはたいして速くなりませんでした。

表音文字からなる英語のほうが脳内音読のクセがなかなかとれず、イメージもしにくいからです。

さらに、日本人の場合は、英語を読むとき特有のクセや要因（文法を意識、和訳、苦手意識、構えてしまうなど）があるので、それに対応したトレーニングも必要になります。したがって、私は日本語の速読を習得した翌年（2013年）に米国NYに渡航し、ネイティブと一緒に英語速読のトレーニングをしました。その上で、日本人に合った英語速読のトレーニング法を試行錯誤しながら研究してきたのです。

英語速読に取り組む必要が全くない方は、慣れ親しんだ日本語に特化した速読教室に通うのでいいと思いますが、英語の初級者であれ、上級者であれ、英語力を上げたいと考えている方には、英語・日本語両方の速読を一気に身に付けられるふわっと速読をおすすめします。

⦿ 縦書きの日本語も速く読めるようになる

ここで、よくいただく質問「日本語の場合は縦書きが多いですよね。英語でのトレーニングで、縦書きの文も速く読めるようになるのでしょうか?」に、触れておきます。

その答えは「Yes」です。

速読の「広く眺める感じで、そのままふわっと目線移動する」というやり方に一度慣れると、**縦書きでもそれを応用できます。**

私自身、日頃パソコン上で情報を得たり、横書きの仕事の文章や本を読んだりすることが多いので、確かに横書きのほうがラクで速読しやすいですが、日本語の縦書きの文章でも違和感なく速読できています。

それは、先ほど述べたように、日本語は表意文字の漢字が使われているので、意味のカタマリをイメージで捉えるのがラクだからです。特に、新聞や雑誌など縦の幅が狭く1行あたりの文字数が多くない場合は、縦方向の目線移動が生じにくく、広い縦の目線のまま左に横移動でき、さらにラクに速読できます。

縦書きの文章を読むこと自体に慣れておらず、縦幅が長く字数が詰まった本を読む場合、目線移動がスムーズにいかず、理解しにくくなることがあります。

その場合は、縦幅が短めでやさしい内容の本を使って、ふわっと速読と同様のトレーニングをし、縦書きに慣れていきましょう。

徐々に縦幅が長い本に変えてトレーニングを継続すると、縦書き・横書きを問わず、新聞や本、雑誌、仕事の資料や文献など、日本語も速く読めるようになると思います。

【ふわっと速読の効果②】

資格試験や受験勉強の効率が上がる

資格試験で英語というと、TOEICや英検などの試験が挙げられます。

特に、多くの社会人や大学生が受験するTOEICや大学受験生のための共通テストのリーディング問題は分量が多いです。「長文問題は長くて読むのが大変」「読むのに時間がかかって全問を解けない」「ゆっくりなら解ける問題も、焦って間違ってしまう」といった声が多く上がっています。

そこで、英語の速読が武器になります。

読むスピードが上がるので、解答できる問題数が増えるだけでなく、「時間内に読みきれる」という気持ちの余裕が生まれ、正答率も上がりやすくなります。具体的な解き方やそれに応じた読み方については、第4章172ページ〜の「効果的な英語の読み方⑤」をご参照ください。

また、速読で英語をラクにイメージで理解できるようになると、耳からの入力であるリスニング力も上がるので、リスニング問題にも余裕を持って臨めるようになるでしょう。

そして、リスニング問題の中には、設問や選択肢の内容を読み取った上で、聞き取った内容と脳内で照合し、正解を選ぶ問題があります。TOEICではPart 3（会話問題）やPart 4（説明文問題）がこれに当たります。こうした問題の正解を選ぶためには、設問を速く先読みする速読力がものをいいます。

さらに、試験に応じたリスニング力を高めるためには、第3章122ページからの「聞き読みwith速聴」「なりきりオーバーラッピング」「シャドーイング／リピーティング」のトレーニングを、TOEICの公式問題集、共通テストの過去問や問題集、英検の問題集などの教材と音源を使って行い、実践さながらに繰り返し練習するといいでしょう。

特に、TOEICのPart 3（会話問題）やPart 4（説明文問題）では、英語速読スキルにより、設問の先読みが余裕を持ってでき、その答えやヒントの聞き取りがラクになるので、先読みも含めて練習しましょう。

ちなみに、先ほども少し触れましたが、Max Readingのコースは、高校の英語教師や塾の講師の方々が多数受講されています。英語の先生なので文法の知識やじっくり読んで理解する読解力はありますが、「読むのが遅い」ということと、自分自身の実用的な英語力を高めたいというのが主な受講目的です。

2021年以降の共通テストの英語リーディング試験が全て長文読解問題になり、量が非常に多くなっているので、「要領よくサクッと読んで解ける生徒もいるから、模試をすると、実は生徒より点数が悪いんです」と嘆いておられる先生もいました。こうした先生は少なくありません。おそらく、そのできる生徒は、小さい頃から「読む」ことや情報処理的な情報収集に慣れている稀有な生徒だったのでしょう。

先生も急激な入試の変更に伴い、情報処理的な英語速読の対応を余儀なくされているくらいですから、多くの高校生や大学受験生はもっと大変です。是非、先生だけでなく、多くの高校生やその親御さんにも、ふわっと速読を知っていただき、受験や進学先での勉強、卒業後の仕事など、長い人生で使える実用的な英語力を身に付けていただきたいです。

勉強の効率が上がる驚きの理由

ふわっと速読のスキルは日本語を読むときにも使えるので、**日本語の資格試験や受験の勉強などの効率も格段に上がります。**

勉強をするときは、教科書や参考書などを読み、その内容を理解して吸収して、学力アップを図るのが一般的です。予習、授業や講義、復習、さらには試験や受験に出る問題を沢山演習することの繰り返しによって、記憶として定着し、試験に対応した応用力を発揮できます。

速読によって、読解スピードが高まり、予習や復習がより効率的にできると、英語に限らず全ての勉強や学びの効果もグンと高まります。第4章の159ページで紹介した「高速大量回転法」をふわっと速読と組み合わせて、繰り返し行うことも有効です。

記憶力アップにも有効

さらに、**速読は、記憶力アップにも貢献します。**

なぜかというと、「物事を分析し、きっちり理解して覚える」左脳モードだけでなく、「既存の経験や知識の記憶と結びついてイメージで理解する」右脳モードの脳の使い方もできると、新たなイメージとして記憶が定着しやすくなるからです。いわゆる記憶術におけるイメージ連結法や場所法、語呂合わせなどは、意図的にイメージ、馴染みのある場所や覚えやすい言葉と結びつけて記憶する脳の使い方とも言えます。

ただし、いったん記憶できたとしても、人間の記憶は時間とともにだんだん薄れてきたり、次第に思い出せなくなったりするものです。

そこで、復習や反復継続を繰り返すことで、長期記憶として定着させ、また想起できるようにしていくのです。

そのときにイメージで理解する速読ができると、同じ時間でも普通に読む場合の2倍のリピートができ、イメージとして長期記憶もできるため、その内容を思い出しやすくなります。

逆に、参考書や本を読むときに、「きっちり理解しよう」「しっかり覚えよう」と左脳モードのみで構えて読んでいると、学習がなかなか進まず、1時間でも疲れてしまいがちです。1回で覚えようと思って頑張って熟読しても、結局、集中力が続かず、思ったほどの効果が出ないこともあるでしょう。

しかし、ふわっと速読でリラックスして2倍のスピードでラクラク読めれば、同じ1時間で同じ分量の学習を2回転できるので、効率よく復習できます。「どうせ忘れても何回も読めばいいんだ」と頭を切り替えて、気楽に読んだほうが、勉強も取り組みやすくなるものです。

脳は適度にリラックスしているほうが効果を発揮しやすいのです。

そして、時間を置いて2回、3回と読んで復習するうちに理解度が深まり、記憶もイメージとしてラクに定着してくると、勉強が疲れるものから、楽しいものに変わっていくでしょう。

【ふわっと速読の効果③】
仕事の生産性が上がる

仕事においても、メールや書類、資料を読む、調べものをするといった読む作業があるので、勉強と同様、生産性が上がります。

生産性を高める上で大事なのは、まずは、**仕事やその文章を読む目的や期限などの条件を整理した上で、その目的や条件に合致した読み方をすべき**ということです。

第４章154ページの①精読、②熟読、③スキミング、④スキャニング、またはその組合せ、さらに必要に応じて、高速大量回転法的な読み方も組み入れた上で、目的に合った効率的な読み方を心掛け、実践しましょう。

163ページ以降の「仕事の文書を読むとき」のセクションでもお知らせした通り、**基本的には、まずは全体概要を押さえ、その上で仕事に必要な重要部分を中心に把握していく読み方（森→木／スキミング→スキャニング。特に重要な部分は精読）が目的に適っていることが多い**と思います。

既に全体の概要がわかっている内容で、さらに特定の情報を調べたり検索したりしたい場合は、スキャニングで探し、スキミングや必要に応じて精読で読むのもありです。

【ふわっと速読の効果④】
留学の価値が飛躍的に高まる

海外留学で得られる経験や学びは、とてつもなく大きいものです。
しかし、短期留学や中・長期留学のいずれにしても、自分の時間と多額のお金（もしくは親や会社のお金）を使って行くので、かなり大きな投資になります。したがって、留学から得られる価値（＝投資リターン）をできるだけ高めることが重要です。
こうした**海外留学にも、ふわっと速読が威力を発揮します。**
留学というと、「まず聞き取りや会話ができないと、現地でのコミュニケーションに苦労する」という思いがあるでしょう。そこで、「話す・聞く」を重視する人が多いのですが、実は「読む」ほうが大事です。
語学留学の場合はもちろん、学位習得、キャリアアップ、学術研究のいずれであれ、大量の英語のテキストや文章を読むことが求められるからです。英語の速読ができる度合いによって、留学から得られる学びの価値が大きく変わってきます。

私は20代後半の頃、当時在籍していたリクルート社からの支援を受けて、アメリカ西海岸のUCLA（カリフォルニア州立大学ロサンゼルス校）のビジネススクール（大学院）にMBA留学する機会に恵まれ、経営やビジネスを学びました。当然、戦略・マーケティング・ファイナンスなど会社経営に関する教科書やケーススタディの資料などが山のようにあり、それを読んで予習できていることが前提で授業が進みます。
ただでさえ、ネイティブが話す授業についていくのは大変です。グループスタディではネイティブのクラスメートたちと同じ土俵でディスカッションすることが求められます。どれくらい予習できるかによって、授業やグループスタディで得られるものが変わってくるのです。
そこで必要になるのは、まず**「読む力」**です。リスニングやスピーキングが苦手な人ほど、教科書や資料を事前に十分に読んで、専門用語や知識をあらかじめインプットしておくことで、英会話力（聞く・話す）不足を補い、会話やディスカッションの中身を充実させることできます。

予習時間がグッと減る

当時の私は、英文を読むことだけは得意のつもりで留学しましたが、蓋を開けるとネイティブの友人たちと比べて断然遅かったのです。多大な時間の予習に日常が忙殺されました。睡眠時間を削って必死に頑張って読んでも、中途半端な予習で終わってしまったことも多々ありました。
ラッキーにもそれなりの成績で何とか卒業でき、MBA（経営学修士）の学位を取得できました。日本では得られなかった経験やその後のキャリアアップやクラスメートたちとの交流も含め、この留学は人生の大きな糧になっています。
ただ、「あのとき、もっと速く英語が読めていれば、もっと十分に予習でき、もっと深い学びやディスカッションができたのではないか…」「もっと時間の余裕ができ、もっと課外活動や余暇など貴重な経験ができたのではないか」との思いがその後も続いていました。おそらく、多くの留学経験者が同様のことを思っているのではないでしょうか。

英語の速読ができれば、限られた時間の中でより効率的かつ効果的に予習ができます。

特に、学位を取得するための海外の大学の学部、MBA取得のためのビジネススクールやLLM取得のためのロースクール、その他MIA（国際関係論修士）やMPA（公共政策学修士）取得などのために大学院で学ぶときは、毎日、数十ページのテキストや資料を読み込むことが求められます。

語学留学でも中級以上になると、授業中に長文の英語資料がいきなり配布されて読んだり、テキストの予習やリサーチなどの課題が必要になったりすることもあります。研究員としての留学も、リサーチや研究のための論文や書籍などを沢山読む必要があります。

英語の速読力を身に付けることによって、限られた貴重な時間の中、留学の根幹となる予習、課題、研究などを効率的に遂行することができます。

それによって授業やグループスタディ、研究から得られるものが格段に多くなり、留学の価値を飛躍的に高めることができるのです。

留学対策にも速読が有効

海外の大学の学部や大学院に合格するためには、TOEFLやIELTSといった英語の語学力が試される試験で、高いスコアが求められます。

また、欧米を中心としたビジネススクールやロースクール、大学院、大学の学部では、ネイティブ・留学生を含むすべての受験者に対して英語で出題される読解力を要する共通試験（GMAT、GRE、SATなど）があり、留学前に受験し、合格に必要な高いスコアを得て、提出しなければなりません。

こうした試験で高得点を獲得するためには、ネイティブ並みか、それ以上のリーディング力が必要になることがあります。

いわゆる試験対策の勉強をしても、そもそも英語を読むのが遅いことで、時間内に解き切れなかったり、焦って実力を発揮できなかったりするからです。

それに対し、英語の速読力があれば、時間に余裕を持って読んで解答できるので、高スコア取得につながり、志望する大学や留学先への合格の可能性が高まり、今後の人生もそれによって大きく変わります。

このように、**留学対策の準備段階、実際に海外に行ってからの留学中、さらには留学後の仕事やさらなる勉強や研究などの全てにおいて、英語の速読スキルは、留学への投資のリターン（留学の価値）を高め、効果的に投資回収を図る大きな武器になる**のです。

【ふわっと速読の効果⑤】
自分の可能性が広がる

子どものときは、誰でもいわゆる右脳を使っていたのではないでしょうか？　しかし学校教育を受け大人になるにつれて、いわゆる左脳派に傾いていく人が多いように思います。特に、生真面目といわれる日本人は、よくも悪くも、何でもきっちり頭で考えてしまう傾向があるでしょう。

私自身も、以前はがちがちの左脳派人間でした。

何かあると頭で考える頭でっかちなところがあり、当時の上司から「お前は融通が利かない」「周りのことに気がつかない」などと言われていました。その通りだったと思います。

日本語の速読を習っていたときも、速読メソッドのことばかり試行錯誤しながらグルグル考えていたせいか、速読の感覚を得ることができず、速読教室のインストラクターや経営者からも「頭で考えちゃダメ、感じて」と言われていました。まさにブルース・リーの映画『燃えよドラゴン』内のセリフ「Don’t think. Feel!」です。頭で考えすぎて左脳思考偏重に陥ると意識がそこに集中し、他の肝心な部分が見えず感じられなくなるのです。ブルース・リーもそのセリフに続き「It’s like a finger pointing away to the moon. Don’t concentrate on the finger or you’ll miss all that heavenly glory.」(遠くの月を指さしていることに似ています。指に意識を集中してはダメ、天上の光を見失ってしまうから）と言っていますが、まさに本質を語っていると思います。
しかし、速読を習得する過程で、無になって自分の呼吸だけと向き合って感じたり、広く俯瞰して周囲を感じたり、意識しないでマルチタスクをしたり、笑顔で楽しみながらトレーニングをしていると、いろんなポジティブな変化や気づきを感じられるようになりました。
ここからは、**右脳モードに切り替えられるようになったことで得られた、様々な恩恵や効果を具体的に挙げていきます。**

右脳モード、左脳モードの使い分けができる

まず、速読においては、無に近い感覚で、広く俯瞰しながら本や英語と向き合って「感じる」ことにより、**文字のほうから内容のイメージが頭に飛び込んでくる**感覚になりました。
一字一句に意識を集中させて「読まなきゃ」「意味をしっかり考えなきゃ」（そうしないと、理解できない）という意識の呪縛から解放されたとも言えます。
これは、左脳的思考一辺倒でずっともがいていた私にとっては新たな感覚です。コペルニクスの天動説から地動説への大転換くらいに衝撃的な変化でした。最初は、きっちりしていないふわっとした感覚の理解に違和感がありましたが、慣れてくると、必死に理解しようとして読むのに比べ、ラクで自然体な感じです。特に、自分にバックグラウンドがある内容を読む場合に、心地いいのです。
右脳モードの心地よさやパワーを感じるのは「読む」だけではありません。Max Readingの受講生の中に、トレーニングを通じて右脳モードの感覚を覚えたことで、ゴルフが上達したという人がい

ます。

平常心になって力みが消え、自然なスイングになったとのこと。

私の場合は、2008年から始めた趣味のサルサダンスが、日本語の速読を習得し始めた2012年から急激に上達しました。

サルサは男女で自由に踊るペアダンスです。テクニックにこだわって女性をリードしても、力んで足や手の動きやバランスがぎこちなくなり、気持ちよく踊れません。

技など一切考えることをやめ、体の力を抜いて、相手への思いやりを持って感覚で踊ると、優しいリードや自然な体重移動ができ、上手く踊れるようになったのです。

左脳モードより、右脳モードのほうが上手く踊れる

おそらく感覚的に行う全てのスポーツ、ピアノなどの楽器の演奏、ダンス、趣味、料理、自動車運転などは、最初は左脳モードでも、次第に右脳モードになることでより自然にできるはずです。

逆に、ふわっと速読の効果が出にくいと感じる場合は、自分がリラックスして何気なくできる得意なこと（スポーツ、楽器など）の感覚を思い出して、ふわっと速読のトレーニングに臨むと改善するかもしれません。

きっちりの左脳モードをやめ、リラックスしていい加減に俯瞰することで感じられた右脳モードですが、逆に右脳モードの感覚をつかんで比較できるようになったことで、その対極の左脳モードの強みもわかってきました。経験や知識が乏しい内容の本や英語を読む場合は、イメージが湧きにくいので、少し狭めの意味のカタマリ単位で、内容を押さえながら読む左脳モードのほうが向いています。また、客観的な事実や文脈に基づく論理的思考を要するコンテンツの場合も、これらをしっかり押さえた理解が必要となります。ここでも、読む対象や目的に応じて、試行錯誤して読むことで、ご自身の読み方のスタイルを確立できるでしょう。

問題は「英語ができない」という苦手意識

日本人の英語が伸びにくい大きな理由の１つは、「自分は英語ができない」という苦手意識にあります。そして、こうした苦手意識は、過去の経験の記憶やそれに基づく感情やジャッジメント、長年のトラウマ、本人の自己効力感や自己肯定感のあり方に基づくので、解消に苦労する方が少なくありません。

私の場合、英語は総じて得意だという意識がありましたが、その中でリスニングが最も苦手でした。

アウトプット（話す・書く）は自分の中にあるものを出せばよく、リーディングは遅くても自分のペースで理解できます。それに対し、リスニングは自分のペースでコントロールできません。いったんわからなくなるとその後ついていけなくなります。特に３人以上のディスカッションの場合は、「今、わからなかったからもう一度説明してくれる？」とお願いしにくく、無言にならざるを得ないことが多々ありました。

MBA留学の授業中も予習で流れに何とかついていけましたが、授業中は挙手するか当てられるかして１回は発言しなきゃと、常にピリピリした戦闘モードで英語を真剣に一語一句聞こうとし、毎回疲れ気味でした。そして、次第に授業のペースに慣れてきたものの、時折「あっ速い、わからない」という部分があり、これが留学中の２年間ずっと続きました。

留学して半年後に米国人の友人から「Hey, what's up, Max?」(「Max〈私のニックネーム〉、元気？」) と言われ、首をかしげて「わっつぁっ？」と聞き返したところ、「もうアメリカに来て半年なんだから、それくらいわかろうよ」と言われたのは今となっては笑い話です (苦笑)。常に「リスニングができない」という苦手意識を持ち続けていたので、２年間もいたのにあまり上達しなかったのです。

今思うと、**苦手だと思っていたから「ちゃんと聞こう」という意識が働いて緊張モードになり、かえってさらに聞き取れなくなっていた**と思います。

ふわっと速読で、苦手意識を克服する

この状態を克服できたのは、日本に帰国して15年以上経ってからです。日本語や英語の速読を習得し、リスニングでも一語一句全て聞き取ろうと構えず、大体わかればいいと思えてリラックスできるようになってから、リスニング力が向上し、ようやく自信が持てるようになりました。子どもが日本で日本語を自然に習得していくときに、誰も「日本語は苦手」とは思っていないでしょう。大人になればなるほど、過去の恥ずかしい失敗経験などから苦手意識を持ってしまうのです。そして、その苦手意識が強かったり続いたりすると、トラウマに発展することもあります。

ふわっと速読のトレーニング効果の出方には個人差がありますが、気長に小さな成長を一歩一歩感じながら継続していくのが大事です。瞑想と親和性がある「今ここにある」自分の呼吸と向き合う深呼吸トレーニングをし、「いい加減が“いい”加減」をベースに気楽に英語と向き合いましょう。「英語だから」という気負いが少なくなり、内容のイメージがラクに脳に入ってくるようになります。

そして、WPMも少しずつ上昇し、成長も感じられ、自信や楽しさにもつながっていくでしょう。

さらに、私や多くのMax Readingの受講生と同じくリスニング力の向上も感じられると、さらに成長を感じられて、苦手意識が少なくなるでしょう。

英語の苦手意識の克服が自信につながり、人生全般や自分自身のあり方にもよい影響を与えてくれたという方もいらっしゃいます。気負わず焦らず、楽しく成長を感じながら、継続していきましょう。

あなた本来のポテンシャル・集中力を発揮できる

「ふわっと速読で英語速読をマスターすると、ネイティブより速く読めるようになります」と言うと、皆さんから「え！　すごい！私にもできるのかな？」とよく驚かれます。

しかし、**速読は、新たなスキルを身に付けるというより、もともとの人の能力を邪魔しているクセや意識などを除去し、そのポテンシャルを引き出すためのトレーニング**です。また、ネイティブも同じ人間で、脳内音読など読むのが遅くなるクセを持っています。

だから、自分の英語力に合った少しやさしめの教材から始め、リミッターを外しながら、コツと感覚をつかんで慣れれば、個人差はありますが、誰でもネイティブの平均以上のスピードで読めるようになるのです。そして、読むのがラクになってから少しずつ英語のレベルを上げていくのが成長の近道です。

そもそも、英語を何年勉強しても話せるようにならないとか、英語を読むのが遅いとか、日本語も読むのが遅いというのは、その人の持つ本来の能力が十分に発揮されてないからです。

学校教育を経て大人になるにつれて、英語や「読む」こと自体に苦手意識が生まれたり、隅々まできっちり読まなきゃという意識やクセが染みついてしまったりします。そうした意識やクセが邪魔して、「自分にはできない」というメンタルブロックがかかってしまうと、本来の高いポテンシャルが発揮しにくくなるのです。

ふわっと速読のトレーニングによって、こうした邪魔する意識やクセを取り除き、メンタルブロックが解消されると、潜在能力が最大限開花します。それは、「頑張らなくっちゃ」とガチガチに力んで取り組むのではなく、気楽にふわっとした感覚で英語と向き合うことによって開花します。

よく集中力というと、「頑張って一点集中する」ことだと思っている方がいます。しかし、人の本来のポテンシャルを発揮させる真の集中力とは、**「力を抜いて、ラクに目の前の対象と無になって自然に向き合える」**ことです。これは、スポーツや心理学でいう「ゾーン」や「フロー」に近い状態です。深呼吸や瞑想をして、脳や心が落ち着いている状態でもあります。スポーツ選手が力むと失敗し、適度にリラックスした状態でいるとよい結果が出ることと同じ原理です。

人間は、自分が最も価値を感じることにおいて、自分の有するポテンシャルを最大限発揮し、自分らしい状態であることが最高にHappyだと私は考えています。

どの状態が最大限で最高かはわからないので、私自身、「Today is the best day of my life.」（今日が人生で最高の日）と日々成長を感じる毎日です。

ふわっと速読で、本来の能力がより発揮できるようになると、英語力も人生も変わっていくでしょう。

自分のタイプを知ると、英語習得は加速します!

短期間で大量に勉強させることで目標達成を支援する英語スクールがあります。2〜3カ月の期間、英会話上達やTOEICスコアアップなどの目標を達成するために、英語コーチがついてくれます。第二言語習得論(「大量のインプットと少量・適量のアウトプット」や「自動化」など)に基づき、自分に合った短期集中型の英語学習方法を提示して、平均2〜3時間/日などの計画を一緒に立て、定期的に進捗状況を確認しながらアドバイスをもらえます。

自分1人ではなかなか実行しにくい量なので、自ら「スパルタ」と称している英語学校もあります。このようなスクールに通い、寄り添ってくれるコーチと一緒に英語に取り組むことで、効果を上げている人がいます。また、コーチがいなくても自分で高い目標を設定し、その達成のためのマイルストーンを定め、こつこつPDCAを回しながらやっていける人もいます。

他方、なりたい自分のイメージは持ちながらも、明確な目標は立てず、適当に楽しみながら長期間継続する人もいます。無理して頑張らない。ワクワク楽しいから、また楽しみを見つけて継続できる。実は、私もそのタイプです。

学校の勉強というより、中学生時代にNHKラジオ講座にハマったことで、英語を身に付けました。スキットの中の英会話シーンをイメージし、独り言でつぶやいたり、一人二役でなりきって会話練習したり、会話中の肯定文を瞬時に5W1Hなどの疑問文にして自問自答したり…。振り返ると、新たな自分が開拓されているのがうれしくて、結果的に第二言語習得論に則ったやり方を頑張らずに継続していました。

〉あなたはスパルタ？ それともリラックス？

『超コーチング式英会話上達法』（船橋由紀子著／アルク）によれば、英語学習者は大きく「山登り型」（目標に向かって着実に一歩一歩進んでいくのが好きなタイプ）と「波乗り型」（あまり先のことを計画せず目の前のことに熱中して取り組むタイプ）の２タイプに分けられるそうです。

それぞれの強みと弱みがあるので、まずは自分のタイプを知り、科学的に正しい学習法＋自分のタイプに合ったやり方で取り組むことが大事とのことです。そして、自分のタイプとは異なるやり方をあえてしてみることで新たな気づきもありうるとも言っています。とても共感します。

明確な目標を掲げ、自力で、もしくは英語コーチングの力を借りて、１日2〜3時間の勉強を2〜3ヵ月といった短期間に集中してスパルタなスケジュールで頑張れる方は、個人的にすごいと思います。

他方、その短期間終了後に勉強グセがついて自力で頑張り続けられる人と、その期間頑張ったあとに燃え尽きてパタッと勉強しなくなる人や、中途半端に終わり自己嫌悪に陥る人も少なからずいるようです。

短期志向で目標達成に向け自分を追い込むスパルタ型がいいのか、**ふわっと速読のような中長期志向で人間本来の力をラクに発揮させるリラックス型**がいいのか、自分に合うスタイルも知っておいたほうがいいでしょう。

もしあなたが、無理なく自分のポテンシャルを活かしながら英会話力や英語力を効果的に高めたい方であれば、ふわっと速読はあなたのスタイルに合っています。

弱点として、ともすれば目の前の興味関心に赴くままに向かったり、ルーズになったりしがちで、目的地と違うところに向かう可能性があります。明確な目標でなくても、なりたい自分のイメージを強くイメージしたり、言語化したりすることで、自分のワクワクと方向性を合わせられると、さらにご自身のポテンシャルを活かせるでしょう。

もしあなたが、明確な目標に向かって自分を追い込んでコツコツと頑張るタイプであれば、その実行力を活かしながらも、少し力を抜いて、ふわっと速読の右脳モードも気軽に試してみて下さい。「ふわっと」の何気ない軽い感じが頑張っている気がしないとか、その感覚をつかみにくいという方もいらっしゃいます。

でも、1つのことを意識して頑張れる持ち前の左脳モードに右脳モードが加われば、鬼に金棒。

もっとラクに頑張ることを覚えれば、さらに自分のポテンシャルを発揮でき、学びの効率も格段に高まるでしょう。

ふわっと速読が「自分自身との向き合い方」を変える

Max Beingは、私（ニックネーム：Max）が作った造語です。速読ができるようになるためには、メソッド（「やり方」）に則ってコツや感覚をつかむことも大事ですが、それを実践する自分自身の「あり方」も大事だということは、第2章で「速読には“あり方”が大事です」と述べた通りです。

ふわっと速読のメソッド（しかるべき「やり方」）とMax Being（「あり方」の最大化）が両輪となって伸びていきます。

他方、ふわっと速読のトレーニングを試行錯誤しながら続けていると、速読に限らず自分の人生全般において、この「あり方」の重要性に身をもって気づくことがあります。

ふわっと速読とMax Beingは相互にポジティブに影響し合って、自分自身が価値ある存在であることに気づき、特に自分が大事に思っている人生の領域（仕事、家族、学び、人間関係、精神性など）が好転し始め、人生が豊かになることにつながります。気づきの内容は人によって違いますが、実際、Max Readingの受講生の中には、人生における気づきを口にする方が多いです。ある意味、ふわっと速読≒人生の縮図とも言えます。

では、どういうMax Beingの気づきがありうるかを、いくつか例を挙げて説明していきます。

①俯瞰、大局、メタ認知で捉える

読むときに俯瞰して向き合うことの重要性を悟るため、物事を枝葉末節（木）ではなく、まずは大局（森）で捉える重要性に気づいたり、自分自身を客観的に俯瞰するメタ認知の重要性に気づいたりする方がいらっしゃいます。

まず、物理的に俯瞰して眺めて見える範囲が広がることで、見えていなかったものが見えてきます。その上で、さらに視座の高い心の目から意識を向けて俯瞰することで、気づかなかった大局が見えてくるのです。

②Comfort Zoneを広げる・超える

自分が心地よく感じる一語一句きっちり理解する読み方から、ふわっとイメージで理解する読み方に慣れる過程の中で、人生において自分の殻（Comfort Zone）を破ること、超えること、広げることの重要性に気づき、他の新たなことに積極的にチャレンジし始めた方もいます。

スキミングなどの速読により、目や脳に多少の負荷をかけると精読レベルの理解で読む速さも上がり、自分のComfort Zone（自分自身が心地よく感じるレベル）が広がる事実を身をもって認識できた方もいます。

③笑顔に満ちた人生を実現

英語速読のトレーニングを笑顔で楽しく行うことを心掛けていたら、日常的にも笑顔が自然に出るようになり、人生が楽しくなったという方もいます。笑顔は周囲に伝わるので、人間関係もよくなります。気難しい顔をして力んで無理して「頑張る」のではなく、笑顔でリラックスして「顔晴る」ほうがいいと、おっしゃった方もいます。

米国の哲学者・心理学者だったウィリアム・ジェームズ博士の名言に「We don't laugh because we're happy, we're happy because we laugh.」（幸せだから笑うのではない。笑うから幸せなのだ。）があります。

また、作り笑顔をしていると実際に脳もHappyになるという文脈で使われる「Fake it until you make it.」（実際にそうなるまでフリをしなさい。つまり、フリをしていると実際にそうなる）という名言もあります。

こうした笑顔の効用は、科学的にも立証され、米国では病気の治療、教育の現場、企業での組織風土作りなどにも活用されています。**笑顔は皆さんや周囲の人たちの人生を豊かにするのです。**

④体・心・脳のつながりを知る

Max Readingの受講をきっかけに、その後どっぷりマインドフルネスにハマった方もいます。

英語速読の体験セミナーでは、目や体のストレッチ、呼吸法などの体感型のトレーニングをリラックスした雰囲気の中で行うので、ヨガと似ていると感じるヨガ経験者も多いです。

禅の調身・調息・調心を実感できるトレーニングを通じて、人間の体と心・脳のあり方が相互に影響し合っていることを悟る方もいます。ふわっと速読の根本は、マインドフルネスなどの瞑想、禅、ヨガとつながっているのです。

⑤自分はできる、素晴らしいと思える

初めは「いろいろ頑張ったけど、これ以上英語が伸びない」「英語が速く読めない」「ネイティブより速く読めるなんて無理」と懐疑的に思っていた方が、リミッターが外れて少しずつ成長していくと、「自分はできるんだ」と思えてきます。自己効力感が高い方が前向きに取り組めるのはもちろんのこと、自己効力感が低いと自分でおっしゃっていた方が本来の自分と自信を回復し、他のことでも「やればできる」と感じられることも多いです。

「できない」という意識や「できなかったらどうしよう」といった不安は、自分で作り上げているリミッターです。

FEAR（不安・恐怖）＝Fantasized Experiences Appearing Real（まるで現実のように見える仮想上の体験）

と、その頭文字をとって説明されることもありますが、不安や恐怖は自分で勝手にイメージを肥大化させたものです。自分の幻想だと気づき、そのリミッターが外れれば、大概のことは実際にできますし、できると思えてきます。

そして、「自分にもできる」「いい加減が“いい加減”」「無理に頑張らなくていい」「リラックスが大事」「人との比較ではなく、自分の一歩一歩の成長が大事」と思えてくると、自分のありままの全てを受け入れて「自分は素晴らしい」と思えてきます。

英語では **「I’m perfect just the way I am!」（ありのままで私は**

パーフェクトなんだ！）と言います。そのように心の底から信じられることで、自分らしく生きていけるのです。ふわっと速読のトレーニングは、そのきっかけになりえます。

実際に、Max Readingの受講生からこんな報告を受けたことがありました。

「自分は『いつも頑張らなきゃいけない』『頑張らない自分は価値のない人間』と心のどこかで思っていましたが、『頑張らずに、力を抜いて、自分のありのままを活かしたほうがいいんだ』ということに気づきました。そうしたら、とてもラクになって、人生も好転しました」

こうした報告を聞くたびに、Max Readingを始めてよかったな～と嬉しく思います。

そして、私自身が日本語や英語の速読トレーニングと向き合って感じたことでもありますが、**速読に対する向き合い方が、自分自身のあり方、人生に対する向き合い方と共通する部分があると感じています。**

このことは、本書でふわっと速読のトレーニングをする皆さんにも感じとれることだと思いますし、より多くの方に是非感じとっていただきたいと思っています。

速読スキルで「豊かな人生」を手にしよう

ここまで、ふわっと速読により得られる代表的なプラスαの価値をお伝えしてきました。ふわっと速読＝人生の縮図だとすれば、人それぞれ強みや弱み、価値観、置かれている状況も異なるので、さらに様々な人生の可能性を見つけられると思います。

なかなか英語力が身に付かない、伸びないということに苦しんでいる方からしたら、ふわっと速読のスキルを身に付けるだけでも十分と思うかもしれません。しかし、その背後にある考え方やあり方を理解しながらトレーニングを行うと、さらに新たな自分の可能性を発見し、それを皆さんそれぞれの人生に活かしていけるのです。

また、**ふわっと速読のスキルは活用することに意味があります。**

英語、日本語を問わず、いろいろな本や記事などをどんどん読んでいただくと、英語力や英会話力を高められるだけでなく、皆さんの経験や知識のストックが増えていくでしょう。そのストックをさらに仕事や勉強、学び、留学などに活かして成果をあげることは、皆さん自身の価値を高めることにつながるのです。

そして、「読む」効率が上がることで、自由になる時間が増えるはずですから、その余剰時間を自分が最高に価値を感じることに活用していただくと、さらに皆さん自身の価値やウェルビーイングを高めることができます。時間は有限の財産なので、人生にとって貴重です。時間をうまく活用することで人生がさらに豊かになります。

仮に、今現在あなたが日本語も英語も含め、何らかの「読む」こと（仕事、読書、学び、勉強など）に１日に２時間を費やしているとします。ふわっと速読により、その「読む」時間が半分の１時間になるだけでも、年に約365時間、10年間に約3,650時間もの余剰時間を生み出すことができます。例えば、この年間365時間、10年間で3,650時間の皆さんにとっての価値はどれくらいでしょうか？

皆さんの稼ぐ力（時給）で時間価値を考える方もいれば、時間や人生に対する価値観で考える方もいらっしゃるかもしれません。いずれにせよ、以下の方程式で求めることができます。

速読スキルが生み出す価値＝
「１時間当たりの時間価値に相当する金額」×「速読スキルが生み出す余剰時間」

例えば、１時間当たりの時間価値＝3,000円だとし、
10年間に生み出す余剰時間が3,650時間だとすると、
3,000円／時間×3,650時間＝1,095万円となります。

この金額換算の価値を見るだけでも、ふわっと速読の人生へのインパクトは恐るべしです。

そして、Max Readingなどもっと高度で専門的なトレーニングで、速読力をもっと高められれば、余剰時間やその生み出す時間価値をさらに多くすることができます。ただ、この方程式を見ればわかりますが、**金額換算価値は、良い悪いではなく、人によって異なります。**

人生において忙しい方、有限の時間が貴重だと思っている方、自

分自身の価値が高いと感じている方、また仕事・勉強・学び・読書などで「読む」活動に多く従事し速読スキルを将来活用できる方ほど、速読スキルが生み出す余剰時間の人生の価値が大きくなることがわかります。このような方は、人生の豊かさの伸びしろがあり、速読スキルによりさらに人生を豊かにしていけるでしょう。

逆に、時間が余るほど十分にある方、「読む」ことをあまりしておらず、今後もする可能性が少ない方は、速読スキルが生み出す人生の価値が少ないです。このような方は、既に人生が十分に豊かだと感じている人、または速読スキル以外の習得がより人生を豊かにする人かもしれません。

また、速読スキルで余剰時間を生み出せる方でも、その余剰時間をどう人生に活用していいかわからない人や活用しても自分の人生(時間)自体に価値がないと思っている人にとっても、速読スキルはあまり価値をもたらさないでしょう。このような方は、仕事・家庭・学び・趣味などにおける人間関係のあり方・価値観や自分自身の本来の価値に目を向けることが先決かもしれません。以上を総合すると、**速読スキルが生み出す価値は、自分が有限の人生をどう生きるかという「生き方」次第だ**ということです。この方程式の本質的な意味を考えることで、皆さんの有限の人生(時間)に対する価値観、時間の使い方、余剰時間の活用の仕方を振り返り、自分の人生をどう豊かにしていったらいいかを考えるきっかけになります。

ふわっと速読で速読スキルを身に付けるか否かを問わず、皆さんの人生がさらに豊かになることを祈っています。

おわりに

最後までお読みいただき、ありがとうございました。

初出版にあたり、この本を「単に英語を読むのが速くなればいい」という英語速読のノウハウ本にはしたくありませんでした。英語速読や英語の習得において大事なことは、自分自身の「あり方」です。本書に「やり方」だけでなく「あり方」まで含めたのはそのためです。速読スキルを通じて、皆さんの人生がさらに豊かになってほしいと思いました。

本文でも申し上げた通り、速読の最大のコツは、遅く読むクセや意識をとって身軽になることです。そういったクセや意識などのリミッターを外すことによって、人間（human being）は、速読や英語力アップに限らず、人生のいろいろな場面で、本来人間が有しているもっと大きなポテンシャルを発揮できるのです。Max Reading（英語脳トレジム／英語速読）のサブキャッチは、～ drive your English and potential to the Maxです。「your English potential」（あなたの英語のポテンシャル）ではなく、間にandを入れて「your English and potential」(あなたの英語とポテンシャル)としているのは、英語以外の能力においても、そのポテンシャルを最大限（to the Max）に発揮してもらいたいからです。本書に「Max Being（あり方の最大化)」という想いを含めたのはそのためです。

普遍である「あり方」を大事にして、ふわっと速読を実践し、自分に合った実用的な英語力アップの「やり方」と組み合わせると最強です。

もっとも、人間の可能性は限りなく大きいとはいえ、1人ひとり異なる存在です。「能力の現在地」「成長の速度」には個人差があります。また、たどり着きたい目的地や合う「やり方」もそれぞれです。中には、遅く読む目や脳の使い方のクセが強すぎて、そのクセをなかなか正せない人もいるでしょう。でも、それは、本人の能力の問題ではなく、クセというリミッターのせいです。正しいアプローチを踏みさえすれば、クセは必ず取れます。

また、「ふわっと速読」は、自力でできる初歩トレーニングにより、ネイティブ並みの速読力（WPM＝200〜250程度。2倍以上）を目指せます。ただ、どれくらい伸びるかはあなた次第。自分が「この程度」でいいと思うと、それが新たな意識のリミッターになります。人間の限界は「この程度」ではありません。専門家のアドバイスを受けながら、より高度な段階的なトレーニングを継続することで、約9割の方はWPM＝400〜500以上、約2割の方は1,000以上を実現しています。より高い自分の可能性にチャレンジしたい方は、Max Readingもご検討ください。

そして、ラクに速く読める速読スキルで、第二言語習得論における「大量のインプット」（英語に沢山触れること）を、イメージの伴う良質なかたちで行い、是非、習慣化していただきたいです。ラクに読むコツをつかめば、この先「読む」ことが楽しくなるでしょう。

それと同時に「聞く」「話す」などの習得法との相乗効果も発揮され、英語を通じて自己成長を図る喜びも増していくはずです。英語が「足かせ」になる人生はここで終わりにしましょう。英語は、あなたの人生を大きく後押しするサポーターであり、より豊かな未来へと導いてくれるパートナーです。英語とともにあなたの人生が輝くことを祈っています。

最後に、本書の出版にあたっては、多くの方々にご協力をいただきました。ここで感謝を伝えたいと思います。

まず、Max Readingのコースや体験セミナーをご受講下さった1,800人以上の方々。過去9年間以上の受講データの蓄積や価値あるフィードバックが経験値になり、Max Readingの英語速読メソッドはさらに進化し、「ふわっと速読」が生まれました。

山口拓朗ライティングサロンの主宰者の山口拓朗さんとサロンメンバーの方々にもお世話になりました。出版社との出会いの機会を下さり、出版企画案の書き方、執筆およびタイトル案の検討に多大な指導や貴重な意見をいただき、常に応援して下さいました。

感謝日記を毎日投稿し合っている小林みゆきさん主宰のセルフアウトプットグループの皆さん。常に感謝溢れる素晴らしい時空間の中でアドバイスを下さり、私の出版を後押しして下さいました。

青春出版社の編集者の宮島菜都美さんは、自らの留学や英語学習の経験から英語速読の本質を見抜き、社内コンセンサスを得ることに尽力し、彼女なしにはこの出版はありませんでした。出版決定後も私の執筆や校正も温かくサポートして下さいました。

最後に、私が仕事の合間の執筆・校正中に、妻のルミは、英語学習者・パートナーとして、原稿を読んで感想や意見をくれ、精神的にも応援するなど、常に献身的なサポートをしてくれました。感謝しても感謝しきれません。今後も末永く宜しくお願いします。

巻末付録

トレーニング用英語

ふわっと速読のトレーニング用教材については、第2章の「実践！ふわっと速読トレーニング」の「【準備】速読トレーニングに使用する英語本、英語教材を選択しよう」(57ページ)に記載の通り、基本的には、ご本人にとってやさしめの英語の紙の本を選ぶようにお願いしています。ペーパーバックなどの紙の本が最もトレーニングしやすくて効果も出て、速読が身に付きやすいからです。

ただ、紙の本を購入する前に、取り急ぎトレーニングをしてみたい方のために、以下の3つの英語の文章を用意しました。

初級者用：Kaguya-hime（600単語。CEFR A1～A2程度）
中級者用：Oita Travel Guide（600単語。CEFR B1程度）
上級者用：Climate Change（600単語。CEFR B2～C1程度）

*CEFR(セファール)のレベルについては、178ページの換算表を参照。

1分間のWPM計測にあたっては、実際の文字数を数えてもいいですし、WPL＝8.5（初級者用）、7（中級者用）、6.5（上級者用）を前提に、WPM＝WPL×1分間に読んだ実質的な行数で計測してもいいです。

初級者用：Kaguya-hime（600単語）

Once upon a time, in a small village, there lived an old man named Taketori-no-Okina (Bamboo Cutter). He was kind and lived a simple life with his wife. Every day, he went to the forest to cut bamboo.

One day, while cutting bamboo, the old man saw a strange bamboo plant. It was shining brightly. Curious, he cut it open. Inside, he found a very tiny baby girl. She was only the size of his hand but very beautiful.

Surprised, he gently picked up the girl and held her in his arms. “You must be a gift from the sky!” he said with a smile. He and his wife had no children, so they saw this as a wonderful blessing. They decided to take care of the baby as their own daughter and named her Kaguya-hime (Bamboo Princess). Every time the old man went to the bamboo forest after that, he found gold coins in bamboo, and the couple became rich.

Kaguya-hime was not like other children. She grew

up very quickly. In a few months, she became a beautiful young woman. The story of the Bamboo Princess suddenly spread. Her beauty became so famous that people from far away came to see her. But she remained humble and kind to everyone.

Many rich and powerful men wanted to marry Kaguya-hime. Five princes also came to the Bamboo Cutter's house. They all wanted to win Kaguya-hime's heart and take her as their wife. But she was not interested in marrying them. She was happy with her simple life in the bamboo forest with her old parents.

She gave each prince a task. "If you want to marry me," she said, "you must bring me a special treasure." She asked for rare things like a dragon's jewel, a cloak made from firebird's feathers, and other impossible items. The princes tried hard to get them by using their money and power, but no one could bring the treasures Kaguya-hime wanted.

Even the Emperor heard about Kaguya-hime's

beauty and kindness. He visited the Bamboo Cutter's house. When he saw Kaguya-hime, he was amazed. He asked her to be his wife. But again, Kaguya-hime said no. The Emperor was sad but respected her wish.

Three years passed. One evening, Kaguya-hime was looking sadly at the moon. Tears were falling from her eyes. The Bamboo Cutter and his wife were worried. "Why are you crying?" they asked.

Kaguya-hime said, "I have a secret. I'm not from this world. I was sent from the Moon Kingdom. I was very happy to be here with you, but I have to go back soon." The old couple felt very sad. They loved Kaguya-hime very much and didn't want her to leave.

The night came when Kaguya-hime must return. The moon was shining beautifully, and people from the Moon Kingdom arrived. They came to take Kaguya-hime back. The Emperor sent his soldiers to stop them, but the moonlight suddenly flashed and made them sleep.

Kaguya-hime gave her parents and the Emperor a letter and a special drink. She said, "Drink this if you want to live forever. I hope you live a happy life and then find peace."

She went back with the people from the Moon Kingdom. The Bamboo Cutter and his wife were heartbroken. They missed Kaguya-hime every day. The Emperor thought he didn't need the special drink any longer because Kaguya-hime was away from the earth, so he ordered his servants to burn it on a mountain and didn't drink it.

Kaguya-hime's story became a legend. People in Japan have told it for a long time.

中級者用：Oita Travel Guide (600単語)

Oita Prefecture, located in southwestern Japan, is a fantastic destination that offers visitors a wide range of enjoyable experiences. From awe-inspiring natural sights and soothing hot springs to rich cultural heritage and delicious cuisine, Oita promises an unforgettable journey for all who visit. This article, mainly intended for foreign tourists, highlights some key attractions and activities they can enjoy while traveling in Oita Prefecture.

Oita Prefecture's abundance of natural hot springs provides the perfect setting for relaxation and rejuvenation. Try traditional onsen (hot spring) and ryokans (inns), where you can soak in the therapeutic water, experience Japanese culture, and unwind amid stunning surroundings. Beppu, Yufuin, and Hita are among the most popular onsen destinations, each boasting its unique charm and therapeutic waters.

Especially, Beppu Onsen is world-famous because the number of hot springs and the volume of thermal springs are the largest in Japan. One must-enjoy attraction is the famous “Hells Tour.” There are seven hells (hot spring sites), each offering a different experience, such as bubbling mud pools, colorful ponds (cobalt-blue, blood-red, and milky-white), and steamy geysers.

Oita’s stunning natural landscapes amaze visitors. Nature enthusiasts love Mt. Yufu near Yufuin, a majestic peak with breathtaking hiking trails and panoramic countryside views. The Kuju Mountains, located in the central part of Oita, also fascinate foreign travelers; they are a majestic volcanic mountain range with an array of magnificent landscapes, including sprawling grasslands, alpine meadows, and lush forests. If you have time, Harajiri Falls in southern Oita are worth visiting; they are nicknamed “Niagara Falls of Asia” (much smaller than the original) for their distinctive shape formed by the great eruption of nearby Mt. Aso.

If you are an animal lover, visit the Mt. Takasaki Natural Zoological Garden, where you can get up close to Japanese monkeys in their natural habitat.

There is also a natural zoological park called African Safari, where you can enjoy watching and feeding wild animals, including lions, tigers, and giraffes, while riding an animal-looking jungle bus.

Oita also boasts a deep cultural heritage that reflects its ancient history and traditions. Don't miss the Usuki Stone Buddhas, national treasures of remarkable stone-carved Buddha statues over 1,300 years old. They provide insights into Japan's religious and artistic past. History enthusiasts and spirituality seekers should explore Usa Shrine established in the 8th century, and the Kunisaki Peninsula dotted with historic temples, shrines, and a castle.

Oita Prefecture is a paradise for food lovers, offering a variety of dishes to stimulate your appetite. Be sure to try Beppu's unique "Jigoku-mushi" (hell-steamed) cuisine, where food is cooked using the natural heat from hot springs. You can enjoy steamed vegetables, eggs, and seafood in bamboo steamers, giving the dishes a distinct flavor.

Seafood enthusiasts will be delighted with delicious sashimi and sushi from the fresh catch of “seki-saba” (premium mackerels) and “seki-aji” (premium horse mackerels) from Oita’s coastal waters. The region is also famous for local delicacies such as “toriten” (fried chicken tempura) and “ryukyu” (raw fish marinated in vinegared soy sauce), providing an authentic taste of Oita’s culinary heritage.

Participating in Oita’s lively festivals and events is a fantastic way to experience its local culture. For example, Gion Float Festivals held in Hita, Nakatsu, and Usuki in July showcase beautifully decorated “yamaboko” floats and traditional performances, creating a festive atmosphere that captivates both locals and tourists.

In conclusion, Oita Prefecture is an enchanting destination that promises foreign tourists an enriching and unforgettable experience. With its breathtaking natural beauty, rich cultural heritage, delicious cuisine, and relaxing onsen retreats, Oita offers travelers a well-rounded adventure and cherished memories that will last a lifetime.

上級者用：Climate Change（600単語）

Climate change is one of the most pressing challenges of our time. The Earth's climate is undergoing significant alterations due to human activities, particularly the burning of fossil fuels, deforestation, and industrial processes. These changes are causing far-reaching consequences on the planet's ecosystems, weather patterns, and the well-being of all living organisms.

Human activities are the primary drivers of climate change. Burning fossil fuels, such as coal, oil, and natural gas, releases carbon dioxide (CO_2) and other greenhouse gases into the atmosphere. These gases trap heat, creating a "greenhouse effect," leading to the planet's warming. Deforestation also plays a significant role, as trees absorb CO_2 from the atmosphere, and their removal contributes to higher levels of greenhouse gases. Moreover, industrial processes and agricultural practices produce methane and nitrous oxide, two potent greenhouse gases that further exacerbate the climate crisis.

The effects of climate change are becoming

increasingly evident and alarming. Rising global temperatures are melting polar ice caps and glaciers, causing sea levels to rise and threatening coastal communities with more frequent and severe floods. Extreme weather events like hurricanes, heatwaves, droughts, and wildfires are becoming more frequent and intense, wreaking havoc on ecosystems, agriculture, and human settlements.

Changing climate patterns also impact biodiversity, leading to the disruption of ecosystems and the endangerment of countless species. Coral reefs, vital marine habitats, are suffering from bleaching events due to warmer ocean temperatures, threatening the delicate balance of marine life. Moreover, changing weather patterns can lead to shifts in agricultural zones and reduce crop yields, posing significant challenges to global food security.

Climate change is not just an environmental issue but has severe social and economic consequences. Vulnerable communities, especially in developing countries, bear the brunt of climate change impacts, facing increased displacement risks, food insecurity, and water scarcity. Climate-induced migration can lead to conflicts and humanitarian crises as people seek refuge in more stable regions.

The economic ramifications of climate change are vast. Extreme weather events and environmental degradation can damage infrastructure, disrupt supply chains, and increase disaster response and recovery costs. Furthermore, businesses and industries heavily reliant on fossil fuels may face financial losses as the world shifts towards cleaner and more sustainable energy sources.

Addressing climate change requires immediate and collective action at all levels: individual, local, national, and global. Each individual can contribute by adopting sustainable practices in daily life, such as reducing energy consumption, using public transport, and supporting environmentally friendly products. Local communities can implement renewable energy projects, promote sustainable land use practices, and engage in climate adaptation planning.

At the national level, governments are crucial in setting policies and regulations that incentivize sustainable practices and limit greenhouse gas emissions. Investing in renewable energy infrastructure, phasing out fossil fuel subsidies, and implementing carbon pricing mechanisms are essential steps in transitioning to a low-carbon economy.

Internationally, cooperation is vital to tackle climate change effectively. Agreements like the Paris Agreement, where countries commit to reducing emissions and strengthening climate resilience, serve as essential frameworks for global action. Governments must work together to ensure the successful implementation of these agreements and reinforce their commitments over time.

Climate change poses an unprecedented challenge to humanity and the planet. It is not a distant threat but a present reality that demands urgent action. The consequences of inaction are dire, affecting ecosystems, economies, and human lives. By collectively acknowledging climate change and embracing sustainable practices, we can mitigate its impacts and create a more resilient and sustainable future. The time for action is now, and every individual, community, and nation has a critical role in safeguarding our planet for generations to come.

トレーニング用英語 要約

Kaguya-hime（226ページ〜）

昔々、小さな村に竹取の翁という老人が住んでいた。彼は妻と質素な生活をしていたが、輝く竹の中に、手のひらほどの赤ん坊を発見。子供がいなかったため神の恵みと受け止め、かぐや姫と名付けた。その後、竹林で金を見つけ、夫婦は豊かになった。かぐや姫は、急速に成長し、その美しさは広く知られ、多くの男性が求婚。しかし、彼女は興味がなく、男達に不可能な難題を与えた。３年後、かぐや姫は月の国から来たこと、やがて帰らねばならないことを告白。月の使者が迎えに来て、皇帝は阻止を試みたが失敗。かぐや姫は別れの手紙と不老不死の飲み物を残し、月の国に戻った。老夫婦は心を痛め、皇帝は飲み物を燃やすよう命令。この物語は今も日本で語り継がれている。

Oita Travel Guide（230ページ〜）

大分県は、豊かな自然、温泉、文化遺産、料理で訪問者に忘れられない体験を提供。外国人観光客にも魅力的。多くの天然温泉は、癒しや活力回復に最適。旅館で効能のある温泉に浸かり日本文化を体験、景観の中で癒される。別府、湯布院、日田が人気の温泉地。特に別府は、日本一の源泉数と湯量で世界的に有名で、「地獄めぐり」がお薦め。泥湯、様々な色の湯、間欠泉など７つの地獄を楽しめる。由布岳や九重連山、「アジアのナイアガラ」と称される原尻の滝などの自然も豊か。猿の高崎山や野生動物のアフリカンサファリ、国宝の臼杵石仏や８世紀に建立の宇佐神宮や国東半島も見どころ。食通には、地獄蒸しや関サバ等の新鮮な魚介類、とり天等の地元の名産も魅力。地元の祭りで地域文化も体験できる。

Climate Change（234ページ〜）

現代の最も切迫した課題の一つ気候変動は、化石燃料の燃焼、森林破壊、産業プロセスなど人間の活動が主な原因。生態系、天候パターン、生命体のウェルビーイングなど広範囲に影響。CO_2等の温室効果ガスによる地球温暖化は、極地の氷河の融解、海面上昇、異常気象の増加、珊瑚礁などの生物多様性の危機、農業の作物生産の減少をもたらす。また、社会経済、特に発展途上国の脆弱なコミュニティにも大きな影響。気候変動への対処には、個人、地域、国家、国際レベルの即時の協働が必要。個人は持続可能な日常の慣行、地域や国は再生可能エネルギーの事業やインフラへの投資、化石燃料の補助金の段階的廃止や低炭素経済への移行、国際的にはパリ協定のような枠組が重要。緊急の行動が必要。

主な参考文献

『英語教師のための第二言語習得論入門［改訂版］』白井恭弘／著（大修館書店）
『どんな本でも大量に読める「速読」の本』宇都出雅巳／著（大和書房）
『英語多読　すべての悩みは量が解決する！』繁村一義／著、酒井邦秀／監修、NPO多言語多読／協力（アルク）
『日本多読学会による英語多読指導ガイド』（日本多読学会）
『超コーチング式英会話上達法』船橋由紀子／著（アルク）
『The Speed Reading Book: Reed more, learn more, achieve more』Tony Buzan／著（Pearson Education Ltd）
『Using Humor to Maximize Living: Connecting With Humor』Mary Kay Morrison／著（Rowman & Littlefield Education）
『Unknown Vocabulary Density and Reading Comprehension』Marcella Hu Hsueh-chao and Paul Nation/2000

著者紹介

Max二宮（二宮雅規） 株式会社マックスR代表取締役。大分県出身。東京大学卒業後、株式会社リクルートに入社。リクルート在職中に米国UCLAにMBA留学。仕事で大量の文書を「読む」スピードが遅いことに悩み、日本語の速読教室で速読を習得。その後、英語も速く読めるようになりたいと思い、米国NYで英語の速読法を学ぶ。学びを深める中で、日本人でもネイティブより速く英語が読めるようになるメソッドMax Reading(英語脳トレジム／英語速読)を開発し、2014年に英語速読スクールを創設。これまで1,800人以上に英語の速読法・習得法を教えてきた。

「ふわっと速読」で
英語脳が目覚める！

2024年2月10日　第1刷

著　者　Max二宮
発行者　小澤源太郎

責任編集　株式会社 プライム涌光
電話　編集部　03(3203)2850

発行所　株式会社 青春出版社
東京都新宿区若松町12番1号 〒162-0056
振替番号　00190-7-98602
電話　営業部　03(3207)1916

印刷　三松堂　　製本　大口製本

万一、落丁、乱丁がありました節は、お取りかえします。
ISBN978-4-413-23321-7 C0082